U0785541

中华现代学术名著丛书

马克思的政治思想

吴恩裕 著

商务印书馆
创于1897 The Commercial Press

2014年·北京

图书在版编目(CIP)数据

马克思的政治思想/吴恩裕著. —北京:商务印书馆,2014
(中华现代学术名著丛书)
ISBN 978-7-100-09101-5

Ⅰ.①马… Ⅱ.①吴… Ⅲ.①马克思主义哲学—研究 Ⅳ.①B0-0

中国版本图书馆 CIP 数据核字(2014)第 078734 号

所有权利保留。
未经许可,不得以任何方式使用。

本书据商务印书馆 2008 年版排印

中华现代学术名著丛书
马克思的政治思想
吴恩裕 著

商 务 印 书 馆 出 版
(北京王府井大街36号 邮政编码 100710)
商 务 印 书 馆 发 行
北京瑞古冠中印刷厂印刷
ISBN 978-7-100-09101-5

2014 年 6 月第 1 版　　开本 880×1240 1/32
2014 年 6 月北京第 1 次印刷　　印张 6⅝ 插页 1
定价: 20.00 元

吴恩裕

(1909—1979)

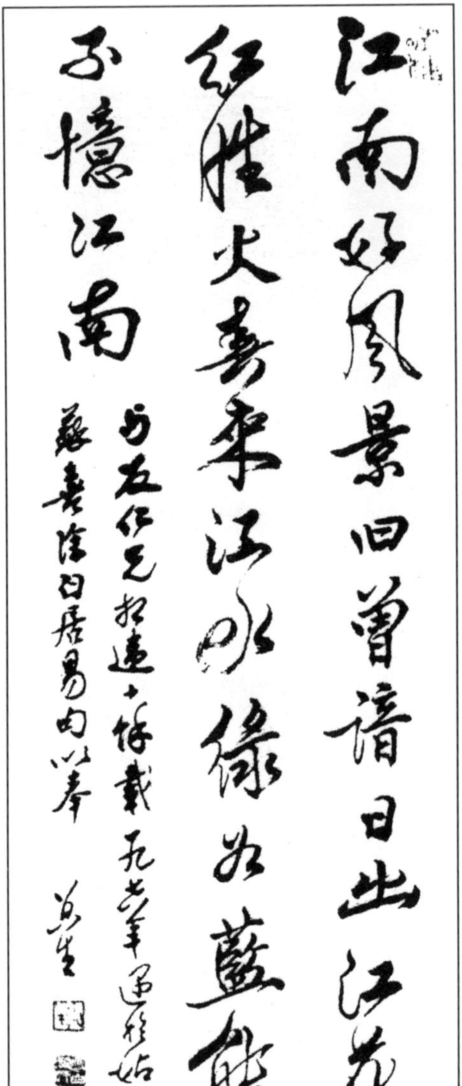

作者手迹

出版说明

百年前，张之洞尝劝学曰："世运之明晦，人才之盛衰，其表在政，其里在学。"是时，国势颓危，列强环伺，传统频遭质疑，西学新知亟亟而入。一时间，中西学并立，文史哲分家，经济、政治、社会等新学科勃兴，令国人乱花迷眼。然而，淆乱之中，自有元气淋漓之象。中华现代学术之转型正是完成于这一混沌时期，于切磋琢磨、交锋碰撞中不断前行，涌现了一大批学术名家与经典之作。而学术与思想之新变，亦带动了社会各领域的全面转型，为中华复兴奠定了坚实基础。

时至今日，中华现代学术已走过百余年，其间百家林立、论辩蜂起，沉浮消长瞬息万变，情势之复杂自不待言。温故而知新，述往事而思来者。"中华现代学术名著丛书"之编纂，其意正在于此，冀辨章学术，考镜源流，收纳各学科学派名家名作，以展现中华传统文化之新变，探求中华现代学术之根基。

"中华现代学术名著丛书"收录上自晚清下至20世纪80年代末中国大陆及港澳台地区、海外华人学者的原创学术名著(包括外文著作)，以人文社会科学为主体兼及其他，涵盖文学、历史、哲学、政治、经济、法律和社会学等众多学科。

出版“中华现代学术名著丛书”，为本馆一大夙愿。自1897年始创起，本馆以“昌明教育，开启民智”为己任，有幸首刊了中华现代学术史上诸多开山之著、扛鼎之作；于中华现代学术之建立与变迁而言，既为参与者，也是见证者。作为对前人出版成绩与文化理念的承续，本馆倾力谋划，经学界通人擘画，并得国家出版基金支持，终以此丛书呈现于读者面前。唯望无论多少年，皆能傲立于书架，并希冀其能与“汉译世界学术名著丛书”共相辉映。如此宏愿，难免汲深绠短之忧，诚盼专家学者和广大读者共襄助之。

商务印书馆编辑部

2010年12月

凡　　例

一、“中华现代学术名著丛书”收录晚清以迄20世纪80年代末，为中华学人所著，成就斐然、泽被学林之学术著作。入选著作以名著为主，酌量选录名篇合集。

二、入选著作内容、编次一仍其旧，唯各书卷首冠以作者照片、手迹等。卷末附作者学术年表和题解文章，诚邀专家学者撰写而成，意在介绍作者学术成就，著作成书背景、学术价值及版本流变等情况。

三、入选著作率以原刊或作者修订、校阅本为底本，参校他本，正其讹误。前人引书，时有省略更改，倘不失原意，则不以原书文字改动引文；如确需校改，则出脚注说明版本依据，以“编者注”或“校者注”形式说明。

四、作者自有其文字风格，各时代均有其语言习惯，故不按现行用法、写法及表现手法改动原文；原书专名（人名、地名、术语）及译名与今不统一者，亦不作改动。如确系作者笔误、排印舛误、数据计算与外文拼写错误等，则予径改。

五、原书为直（横）排繁体者，除个别特殊情况，均改作横排简体。其中原书无标点或仅有简单断句者，一律改为新式标点，专名号从略。

六、除特殊情况外，原书篇后注移作脚注，双行夹注改为单行夹注。文献著录则从其原貌，稍加统一。

七、原书因年代久远而字迹模糊或纸页残缺者，据所缺字数用“□”表示；字数难以确定者，则用“（下缺）”表示。

目　　录

自　　序

流光易逝，我回国忽忽已经五年了。数年以来，我的旧师友和我的学生，都希望我把我在英国伦敦大学政治经济学院的博士论文：The Evolution of Marx's Social and Political Ideas with Special Reference to the Period 1840-1848，译成中文出版。因忙于其他工作，我终于没有把它整个地翻译出来。1943 年 8 月，蛰居四川江北柏溪，稍有余暇，我才正式开始这项工作。十月以来，又因他故而致延搁。到 1944 年 3 月，移住沙坪坝嘉陵江畔；乃以二十日的时间，把未完的部分译成。

本书的性质，犹如我十年前出版的那本《马克思的哲学》一样：既不取感情上的赞成态度，也不取感情上的反对态度。我只是对马克思的学说，做纯粹学术的研究。本书的范围，不限于中文书名中的"政治"思想，也不限于英文原题目的"社会及政治"思想；取材的时代，亦非囿于 1840—1848 八年内的作品。在本书中，我分析马克思所有关于方法、哲学、历史、经济、政治、伦理各方面的理论；取材方面，也涉及马克思生平所有的著作。英文题目原来是：The Philosophical，Ethical and Political Ideas of Marx。现在的题目是我的导师拉斯基教授（Prof. Harold J. Laski）最后改定的。他所以这样改者，是为了注册的方便。因为当时伦敦大学的高级学位委员会，怀疑我能写这样范围广大一个题目，而我的导师拉斯基则相信我能写。所以，他最后给我改定此题，表面上限于研究马克思的“社会及政治”思想，又加上由1840到1848年代的限制。但他却告诉我：原稿的内容不必更动；并且他解释：他之所以如此改者乃是in order that the philosophers of the university may not put in their hands！他希望我安心地继续写下去。

我的论文是在1937年春至1939年春写成的。在论文完稿的各阶段，都得到拉斯基教授热心的鼓励与指导。他曾经给我修改过原文第一章的文字，借给我必要而难得的参考书籍，介绍Max Beer先生讨论某些问题。尤有关系者，是他对我经济上的帮助。1938年尾中国政府命令：“与抗战无关”学科立即停止公费。我所研究的政治思想，自系在“与抗战无关”学科之列，照章应即停止公费。当时不但论文实际上未写完稿，距考期也还有一学期（英国大学每学年分三学期）尚多。幸经拉斯基教授私人资助我60英镑，我才得继续住在伦敦，写完论文，得到学位。他又曾高兴地告诉我：他将把我的论文介绍给伦敦George Allen & Unwin，Ltd. 公司出版。我于1939年4月回国，9月欧洲战争爆发，绝少消息，论文出版与否，不得而知矣。今当中文本行将付梓之时，回忆他对我论文的一切评语，我最不能忘怀的，是他所说的：“I believe it will be a valuable addition to the literature of its kind”一句话。惭愧之余，我谨在此志感念之私。

伦敦大学政治经济学院的Charles H.，Wilson先生和我常讨论论文中的问题，并修改我的文字。剑桥大学经济系的Maurice Dobb先生是我的外校考试人。我的论文之中有一两点和他的见解不同，口试时发生辩论。我佩服他的锋利批评，钦敬他能尊重自圆其说的异己之见。我的论文中又有对于美国纽约大学Sidney Hook教授著作的批评。当拉斯基教授游美时，曾经把我的批评告诉他。他不但同意我对他的批评，并且托拉斯基教授向我代致感谢与期勉之意。对以上诸位，我均在此致谢。Miss H. Perls 和 Miss H. Marga 对于我读德文原文的 Marx-Engels Gesamtausgabe，都曾帮忙，亦致感激。

关于译稿，也有应提及者。第一章讲马克思方法的初稿，曾发表于《青年中国季刊》第二卷第二期。第六章末段讲马克思的人性论，曾发表于《新评论》第一卷第三期。第三、四两章讲马克思的唯物史观及革命理论，曾发表于国立中央大学法学院出版的《社会科学》季刊第一卷第一期。第二章译稿系由余无忌同学代译。译笔畅达，我在改稿时几乎就没有什么更动。1940 至 1941 年的下学期，我曾在国立中央大学政治系开过一班西洋政治思想专家研究。第一个政治思想家我选的就是马克思（原计划陆续讲柏拉图及卢梭等）；而所有的讲稿，即系根据我论文中一部分的译稿。复次，尽管英文原文是出诸己手，但本书的文字仍然脱不掉译文的语气。大概若非另写新稿，则这种情形是不可避免的。

我于 1936 年赴英时，原不想读学位。经张东荪、胡石青、周天放诸先生函勉，我才写此论文完成学位工作。现在胡先生、周先生已做古人，追思昔日的情谊，不禁黯然！冯友兰、萧公权、张奚若、浦薛凤、钱端升诸先生均曾先后鼓励本书的译述与出版。我在国立中央大学任教期中，张汇文、李泰华两兄殷勤的勉助，也有助于译稿的完成。均统此致谢。

若没有内子宋漱青在伦敦三年以及回国后五年不断的帮忙，英文论文及中文译稿，都是不会完成的。

著者于重庆沙坪坝嘉陵江畔寓舍

1944 年 4 月

第一章　方法与方法论

一　引论:方法论

本章目的在说明:马克思自己方法的性质,以及他对于方法论(methodology)的意见。为易于了解他自己方法的性质起见,我们在引论中先讲他关于方法论的见解。方法论乃是讨论:许多不同的方法在科学研究过程中的相互关系;并指明在此研究过程中,到某一阶段用某种方法。一般讲马克思学说的人,都不讲他的方法论,其原因大概是因为材料太少。但据我所知,马克思并不是绝对没有关于方法论的见解。下面一段话,便是讲方法论的;可是它在方法论上的含义,却一向没有被人注意。

"自然,陈述法(method of expression)在形式上是与研究法(method of investigation)不同的。后一种方法必须把对象详细研究:即分析不同的发展形态,并考求此诸形态的内部关系。把这段工作做完,才能把实际的运动圆满地描绘出来。若描写的很成功,亦即,若对象的生命反映在心理上像反映在镜子上一样,则我们视之,就像只是一个超经验的结构似的"。①

这段话非常重要。一、马克思明白表示:凡一种科学的研究皆有两个阶段;即研究的阶段与陈述的阶段。又据“把这工作做完”一语,可知研究的阶段在陈述的阶段之前。二、在研究的阶段中,我们必须用研究法。这种研究法即“面对事实”与“比较事实”。[②]在陈述的阶段中,我们用陈述法。即把用研究法得来的知识,描述出来。

凡科学方法必先与外界物事接触。若想研究这些物事,“所有的科学必皆以经验为根据,且能将由感官所得的材料,付诸理性的研究法之研究”。[③]在这种更改的研究法中,“归纳、分析、比较、观察及实验,皆为主要的工具”。[④]利用这些有用的工具,然后我们可以“详细地研究对象:即分析其诸发展形态并且推究此诸形态的内部关系”。把这个工作做完,我们不仅知道了所研究之对象的根本特征,也知道了它的不同发展形态之内部关系。

我们既由研究法清楚地“知道”了对象,那么在我们心理中,即留下了一个它的印象。用恩格斯(F. Engels)的名词说,即我们有了一个该对象的“心理影像”,[⑤]但我们若想把由分析得来的结果,“传递”给旁人,我们必须用另外一种方法,来直接描摹那个“心理影像”,间接描摹外在对象本身。这种方法就是陈述法。假如我们的陈述或描摹圆满地成功,则外界物事的“生命”反映在我们的心理上,就像它被反映在镜子里面同样的清楚或逼真。这个“心理上反映出来的”对象,看来似乎仅是一个与经验无关的概念;实则它乃是由一个劳苦的经验过程而得来的。换句话说,它乃是经过研究法的观察、分析、比较、试验等手续而得来的。

我们已经知道,研究法的工具是归纳、分析、比较、观察和实验。但在陈述法中有些什么工具马克思并没有说明。他虽然自己没有说明,我们可以断言:陈述法必以语言为第一工具。只有用语言中的“字”,才能把外界的“物”表示出来;用语言中的“句”,把外界的“事”表示出来。既用语言来表示外界的物事,则因语言本身必受文法学与修辞学的限制,所以恃语言为工具的陈述法,也必须受它们的限制。如果违反文法和修辞的规则,即不会有明白的、成功的陈述。如果演绎逻辑是一种澄清语言之意谓及含义的东西,则它亦是有效的叙述之一种必不可少的工具。成功的陈述也不能忽视演绎逻辑。

研究的对象之“真实的生命”在被“描摹”后,无论描摹的怎样成功,也不能不失掉其“生动气”。因此,马克思说:“自然,陈述法在形式上是必与研究法不同的”。“必”不同云者,因为这不同是“不能不然”的。在研究法中的真的物与事,到了陈述法中,不能不被翻译成字与句。也就是说,我们既不能把实际的物事,当作叙述的工具;也不能拿“心理影像”当作叙述的工具。“心理影像”是每人心理中所私有的东西;若不译成语言文字,也无法传达。“形式上”不同云者,因为在研究法中的物事,是我们感官所认识的活的物事的形态;而陈述法中的物事,则被译为死的字句的形态。马克思的意思是说:这两种方法形式上尽管不能相同,但它们都是任何科学研究所必用的方法,大体上说,研究法是获得新的实质知识的工具;陈述法是表现这种知识的工具。

二　社会研究方法的性质

上述马克思方法论的见解,对于我们了解他自己所用的方法很有帮助。马克思认为自然现象的研究法,与社会现象的研究法不同。他不相信社会现象也可以用研究物理现象的方法来研究。如物理学上的以试验为基础的“证实”，则显然不能应用于社会现象。马克思以为在社会现象的研究中，以下三项是主要的工具。一、事实的“分析”或利用“抽象能力”；二、“面对事实”及“比较事实”；三、推求社会上层结构之历史经济动机的方法。以下分别说明。

（一）分析社会事实的“抽象能力”

马克思在他的《哲学的贫困》一书中，即赞成“分析”（analysis）。⑥他又认为在社会的分析中，我们的“抽象能力”（Die Abstraktionskraft，英译为 power of abstraction）是基本的要素。他说：“分析经济的形态，显微镜和化学试验，都是不中用的。抽象能力必须代替此二者。”⑦这段话明白地表示，“抽象能力”在社会经济的分析中，是一有用的工具。

但在下述两段话中，马克思又像自己在矛盾了：“所有存在的，所有生存于陆上水中的东西，都可用抽象能力（著者按：《哲学的贫困》，原为用法文写成的。‘抽象能力’一词在原著中是：á force d'abstraction）给变成一个逻辑的范畴。”⑧“用抽象能力，我们（著者按：马克思上文是批评‘形上学家们’，所以此处之‘我们’，并非马克思‘自道’，乃系指那些喜欢用抽象方法的形上学家们）已把所有的物事给变成一个逻辑的范畴了。”⑨

马克思说上面的话时，是在攻击普鲁东（Proudhon）那种以“抽象能力”为特征的“形上学的思考方法”。照后两段话的意思，则马克思似乎又表示“抽象能力”不是求知识的有用工具了。它只能给我们弄出些空洞的逻辑范畴而已。因此，上面所引第一段话与后面的两段话便似乎矛盾了。即一方面他主张抽象能力是社会科学中必要的、有用的方法;另一方面又认为它是形而上学的方法,不可用的方法。据我考证的结果,我认为这仅是语言上的矛盾(verbal contradiction),而不是真实的矛盾(real contradiction)。也就是说,这只是马克思用字之不慎,而非真的自己矛盾。所谓语言上的矛盾,即经过了我们的精细分析之后,实质上并不矛盾。我们有什么证据,认为上述这个矛盾仅是语言的而非实质的矛盾呢?最可靠的办法,就是证明:前一段话中所用之"抽象能力"一词,与后两段话中所用的"抽象能力"一词的实际所指,并非一物。亦即,说明它们尽管字面相同,而其意义则不同。兹证明如下。

马克思反对形上学的思考方法,说它用"抽象能力"。这个"抽象能力",实则系指一种很特别的思考过程。这种特别的思考过程,据马克思自己说,就是"逐渐离开了物事,反而认为已达深知该物事之境"的一种谬误思想。实则,在马克思看来,这种思考过程只是"把人所熟知的物事之特征,给变换成了逻辑的概念"[10]而已。形上学家即用这种思考方法,把世间一切物事,都给变成了逻辑的范畴。并且又用那些逻辑的范畴,来组成他想象中的"范畴世界"。推其来源,这种思考方法并不是普鲁东的;而是黑格尔(Hegel)的。[11]马克思早年热心于黑格尔的著作,特别是他的逻辑学(Wissenschaft der Logik)。所以他对黑格尔这种思考方法,知道得很清楚。我们且看他怎样讽刺地批评这种思考方法。他说:"假如由真实的苹果、梨、梅子、杏子,我能'用思维刀'组成一个普遍的概念'水果',并且假如我再进一步妄想我这个抽象概念,即本来是由真实的水果得来的'水果'概念,能够当作离开梨、苹果等等而独立存在的东西,我自然可以宣称——玄想地表示——'水果'一概念是梨、苹果、杏子等等的'本体'了。因此,我也可以说,梨之所以为梨,苹果之所以为苹果,是不重要的。它们的真实的,可感觉的存在,是无关重要的;它们的要素,乃是我给它们抽象出来的那个水果'概念'。"⑫马克思又接着说:"这种方法是不会含有多量知识的。"⑬何以呢?因为使用这种方法的人,实际上"是把他自己的活动,亦即,他自己用由苹果的表象跳到梨的表象的'抽象悟解力'的活动,当作了'水果'自己的活动了"。⑭结果,这种方法所给予我们的,当然只是一些空的范畴了。

但当马克思说"抽象能力"是社会研究中之有用的心理工具的时候,他乃是指"由单纯概念起始,归结到复杂概念的方法"。⑮照马克思的意见,这种方法"显然地是合乎科学的正确方法"。⑯在这种方法中,我们既然已经用"抽象能力"得到"复杂概念"之后,我们便不应该把它视为一个:能离开其具体组成分子而单独存在的空体。我们应该再用一种"由抽象回到具体的方法"⑰把"在我们推理过程中的抽象定义,应用到具体物事的再生产(reproduction 或译摹本)上去"。⑱也就是说,在社会科学的研究中,我们应该"永远把对象——即社会——把握在心里,当做我们出发的前提"。⑲试用马克思自己的例证来说明。当我们分析资本主义社会经济的时候,我们必须由单纯的、具体的"劳动产品之商品形态——或商品的价值形态"⑳出发。因为商品的价值形态是资产阶级社会的"经济细胞形态"。㉑可是,一旦我们由此细胞的分析,一步一步地分析到资本主义社会的"整个的有机体"的组织时,我们却不要忘记了:这个"整体"(著者按:即资本主义生产方法全体)并不是个与经济无关的结构或概念。它乃是一个"有许多异点的,许多东西的集合体,亦即一个歧异成分的统一体"。㉒一个肤浅的观察者,也许认为分析细胞形态是在做琐屑的事情。可是，马克思说："事实上它是在分析琐屑之事，但这些琐屑的事情，却和用显微镜的解剖学所分析的东西，同样重要。"㉓所以，马克思说："从最单纯到最复杂的抽象思考法则，是与实际的历史过程相符合的。"㉔在马克思看来，这才是正确的方法。

照以上的分析，我们可知形上学家所用的"抽象法"，根本有一种"把物事之显著的特征，给抽象成为逻辑的空名"的坏结果。而社会科学家所用的"抽象法"，则系"由最单纯到最复杂"的对具体物事的分析。这样一来，则上面第一段那个"抽象能力"和后两段那个"抽象能力"，实际上所指的对象并不是相同的。既然实质上这两个名词没有指述同一件东西，则马克思即没有自己矛盾。不过，为了清楚起见，最好把在社会科学中有用的那个"抽象能力"改名为"分析能力"。实际上马克思也常用"分析"这个字。

（二）"面对事实"与"比较事实"

我们既知道"分析"，即"抽象能力"的运用，是社会科学中的有用工具，现在则须知在社会的研究中，第一要务便是对于实际物事的分析。马克思认为分析应从实际的事实开始。这就是所谓"面对事实"。㉕所谓"实际的事实"，似乎有两种可能的含义。马克思何以侧重"事实"呢？因为他认为：在社会现象的研究中，"可以做我们出发点的，并不是'观念'而只是'物质现象'"。㉖但我们都知道，凡是研究社会现象的人，差不多没有从"观念"出发的。那么，马克思上面的话，莫非无的放矢？实则不然。马克思说上面的话之原因，乃系对当时德国流行的黑格尔传统之形上学思考方法的一大反动。这一点，我们只要一看马克思对普鲁东的批评，[27]便可证明他特别注重“事实”是有所为而发的了。

其次，何以马克思又加重“实际的”一词呢？关于此点我们须知：马克思把我们认识外物的“表象”或“形式”与“实体”是分别开的。他说：“如果表象或形式若和物事的性质完全同一的话，则科学即无用了。”[28]“用日常经验来判断，科学的真理永远是似是而非的；因为日常经验只捉到了物事的虚伪的表象”。[29]“正如天体的表面运动，只有深知其内部运动（这种运动是非我们的感觉所能领悟的）的人，才能深切了解一样；同样，只有一个深知资本之内在性质的人，才能对于竞争（competition）做一科学的分析”。[30]那就是说，科学的真理，以常识视之，是“似是而非的，且反乎日常观察的”。例如，若说“地球是在围绕太阳转，水是两种具有高度燃性的瓦斯做成的”[31]似乎是不对的。但科学必须揭穿物事的“表象”而去发见“物事的真实关系”[32]或物事的“隐蔽的本质”。[33]

由上可知所谓面对事实，马克思的意思是说：我们在研究法中，必须与事实接触。但是怎样才可以接触事实，而避免接触其表象呢？马克思认为：若了解物事的真实状态，我们不能限于考察它的“静态”。反之，我们必须对物事的“诸不同的发展形态”，做一种“比较”的研究。这种“比较”的研究，也就是对物事的“动态”或演变状态的研究。研究任何一社会现象的关键，都在“个别地研究其诸演变形态，而后再进而比较之”。[34]照马克思的见解，在人们所理想的静固状态下分析物事，只能了解物事的虚像。那个静固状态只是理想的，所以是假的。因为静固的情势，不是常在变动着的外物的本相。因此，若非对一社会现象之“诸不同发展形态”做一比较的研究。我们即仅求了解该现象之存在的一种形态，都谈不到;更谈不到了解它的史的意义了。

因为史的意义是更需要比较研究的。例如,资本主义的生产方法,不过只是人类经济生活发展的一种形态,它并不是一静固的状态:它有它的过去和将来。所以在我们分析资本主义生产方法的时候,我们既要探究它所以成为现状的过程;也要推测它将来发展的去路。对资本主义生产方法之诸不同发展阶段的比较研究,不仅可以把它现阶段的发展安置在其整个历史过程中(由此可知其现阶段的发展,在其历史上的位置与意义);且亦可充分了解其内部组织与作用,并可推测其将来的发展。每个发展形态的自身,都有其个别的历史特征。没有一个是可以被"永久固定住"[35]的,或是被普遍化的,古典派经济学家如斯密司(Smith)和李嘉图(Ricardo)的大缺点,就在于他们不能了解"价值形态"(value form)。[36]古典派经济学家既然忽略了价值形态的问题,所以它即不能了解以下诸形态的特别的史的性质:如商品形态、货币形态、资本形态等等。因此古典派经济学也就忽略了资本主义的交换方法(capitalist-exchange)之特别的史的性质;而误认资本主义的交换方法是"大自然给任何状态的社会所永久确定的"[37]唯一交换方法。

当然,比较是会发现相似点的,但这并不是说:一现象的诸发展形态,可以用一个"普遍的护照"(秘诀)[38]解释得通的。历史是不重演的。同理,它的各演变阶段,也是不重演的。即使很相像,但出现在不同的历史环境中的诸事实,也不会产生同样的结果。古代罗马的贫民,原来是自由农民:自己耕种自己所有的一块土地,并且是自己应用的。在罗马史的演变中,他们后来被剥削了。这段运动的过程,和资本主义产生的原始堆积是一样的。原始堆积的过程,一方面使平民失掉了生产手段和生活资料,另方面却促成了大量的土地财产和大量的货币资本。一方面有自由人,除了自己的劳动力外,余无所有。另方面有领有大量攫得财富的,剥削自由人之劳动力的人。"事情怎样了呢"?马克思问。"那罗马无产阶级,并没有变成工资劳动者,而变成了无所事事的游民,其生活情况比美国南部的'穷白人'更为恶劣。随之而发生的,并不是资本主义的而是依靠奴隶的生产方法"。㊴这是他的解答。他认为相似的现象,但有不同的时地因素,不一定产生同样的结果。所以,他说:若有人把对于一物事的特殊发展形态的特殊分析,当作一个解释"一切运动的历史哲学理论",那才是谬妄之至!社会或历史研究中之事实的分析,其目的乃是在:推求一社会现象的诸发展形态的内部关系,并因此求了解该事实在其演化过程中之特殊的史的性质,和它的运动法则。正如有人评马克思道:"这种研究方法的科学价值,乃在揭明某一社会有机体的生长、存在及发展的规律,及其被另一更高发展形态所代替的法则。"㊵

(三) 求社会上层结构之历史经济动机的方法

马克思研究法的主要特征,是推求一切现象之历史经济动机的方法(historico-economic motivation)。照他的见解,任何理论系统或社会上层结构,均可有两种研究或批评的方法。一是就其本身而批评之,再则由其历史或社会的背景中批评之。

如对宗教,他主张即有两种研究或批评的方法。一种是"以宗教自身为其原因地了解宗教",亦即"不越宗教之雷池一步"地去了解宗教。另一种是"用物质的条件去解释宗教"。㊶所谓"物质的条件”,马克思的意思是:我们研究宗教,应该推求出来“某种工业及商业的关系,怎样必然地与某种社会形态联系;这种形态自身又怎样与某种国家的形态相关联:因而又产生某种形态的宗教意识”。[42]他认为德国的自由主义,也有两种不同的研究方法:第一,我们可以限于批评“德国小资产阶级对自由主义的幻想”;第二,我们也可以由其“所由发生,并且赖以存在的,真实的利益关系中”,去批评它。[43]在他自己看来,我们对于德国的自由主义是应该由其社会背景中,去研究的。他又说:“一部宗教史,若不探求宗教的物质基础,是不会合科学的。”[44]即整个的“人类的历史,也应该与工业及商业史去联络研究”。[45]在马克思看来,假如我们若以“研究宗教只以宗教自身为其原因,研究自由主义仅批判某些人对自由主义的幻想为满足;则我们必得到一个最不通和最无味的结果”。[46]固然,马克思说由“分析宗教的模糊的概念,而求了解此诸概念的尘世的核心,是很容易的;而从对一特殊时代的物质条件之分析,推知此诸条件所应产生的宗教形态,是很难的”,[47]但我们须知“后一种方法是唯一唯物的方法,所以,也是唯一科学的方法”。[48]换言之,后一种方法,便是采取唯物史观的分析方法。

实则马克思把他所认为是社会上层结构的东西,都由其历史发展和经济动机中,来寻求解释。一方探究一社会上层结构直接与社会关系之联系;间接地,但究极地,与社会关系所必符合之生产关系的联系。再举些例,可以说明此点。当马克思批评亚里士多德(Aristotle)关于商品价值表现中的“平等”概念时,他并不去考察亚里士多德理论系统内部的一致与否,而说“亚里士多德所生存的社会之特殊情形,使他不能发现这个‘平等’的实际是什么”,[49]又说“柏拉图(Plato)的‘理想国’,由其认为分工是国家的组成原则言之,也不过是埃及阶级制度的一个雅典的理想化而已”。[50]马克思解释笛卡尔(Descartes)的“动物是机器”一定义,也采取经济的观点。他说:笛卡尔这个定义是“以制造品时代(manufacturing period)的观点,来着想的。这与中世纪,把动物视为人类的助手的观点不同”。而此不同的基本原因,在他看来是因为社会经济背景的不同。[51]这样一来,则一般所认为是纯粹的思想,马克思都认为与某一社会之工业关系有密切的联系了。

由上述各例,可以得一结论。即马克思的分析方法,第一特征是:在一社会之上层结构内部,或许多社会上层结构之间的变化中,推求其“外在的原因”;第二是马克思认为这外在的原因主要地、究极地、是“经济的”。这两种特征,都可以在马克思对康德(Kant)和边沁(Bentham)的批判中看出。[52]在他批判黑格尔的《法律哲学》(*Philosophie des Rechts*)一文中,也可看出。假如我们承认可以有一种“知识的社会学”(Sociology of Knowledge),[53]则马克思的方法,当亦为其中之特殊的一派。“特殊的一派”云者,因为马克思主张在社会制度中,经济是最有势力的。而其他派的“知识的社会学”,则不必如此主张故。

此处似须有一言解释。据《德意志的意识形态》一书,马克思原来之主张历史的唯物论,可以说是对黑格尔用“意识形态的方法”[54]解释历史的一个反动。马克思认为“历史”和“唯物论”可以联合在一起。[55]从历史与唯物论联合的观点,马克思把历史根本看成一个实践的过程,[56]一个有着固定的取得生活资料方法的,实际存在的人类生活过程。[57]在此实践的过程中,抽象概念、[58]纯粹思想、[59]纯粹精神、[60]意识等,“若离开真实的历史而观之,它们自己是没有任何价值的”。[61]这个看法,直接是反对黑格尔的。黑格尔“他自己在历史哲学一书末尾说他‘只是研究了观念的过程’,并只表示出了历史中的真的上帝意旨”。[62]因此黑格尔就把历史当作一个“精神之实现和发展的过程”。[63]在马克思看来,凡一种思想的产生,不过只是物质条件的反映;而所谓“意识者非他,只是有意识的存在而已”。[64]观念、范畴、原则,都是人的制品。[65]即纯粹的自然科学,也自有其物质的基础。[66]这些主张都可表示马克思的“唯物的态度”。

但他更进一步的研究,便把这种态度做成“经济地唯物的”态度了。经济地唯物的史学分析法,不但用物质来解释概念,而且以经济的动机去研究概念的产生。比如,我们研究历史上流行的观念,我们不该“把统治阶级的观念,与统治阶级自身分开,而认为那些观念有另外一个独立的存在”。[67]我们也不能只说“这些或那些观念是有势力的,而不顾及那些观念产生的条件,及它们的制造者”。[68]“假如我们忽略了这些观念之渊源的个人及世界情形,我们自然可以说,在贵族政治占势力的时代,光荣、忠诚等概念是占优势的;在资产阶级占势力的时代,自由、平等诸概念是流行的”。[69]事实上,马克思认为:不但“任何时代统治者的观念,都是统治的观念”,[70]而且“某时期若有革命观念的存在,就表示先已有了一个革命阶级的存在”。[71]

也许有人说,这种求经济地唯物的动机的方法,不免把严格的形式思想系统和具体的社会事实给相混了。关于这点,我们须知马克思的目的乃在:去估量各种社会上层结构的社会功用和意义;在社会上层结构中,自然也包括形式的思想系统。一形式的思想系统,其自身内部,可以与具体的社会事实无关;但此系统之生长、发展和没落,以及它对社会的功能,却是必须由其历史的背景中,去分析的。譬如以 F 代表一形式的思想系统；$f_1,f_2,f_3,\cdots\cdots f_n$ 代表此系统的内部组织。R 代表关系。H 代表产生 F 的历史背景。马克思的方法并不是研究内部系统“$f_1,f_2,f_3,\cdots\cdots f_n$”。这个系统显然是纯粹形式的，与经济无关的。但我们欲知此形式系统的社会功用和意义，则我们不是在讨论 F 或“$f_1,f_2,f_3,\cdots\cdots f_n$”本身，而是在考察“FRH”或“$F(f_1,f_2,f_3,\cdots\cdots f_n)RH$”。F 的本身固然可以是形式的，但“FRH”则本质上是一件历史的事实。马克思的意思乃是：只有研究“FRH”这个关系体，才能估量出 F 的社会功用，及其与其他社会制度的关系。我们所必要知道的是：马克思乃是在研究形式系统在其历史背景中的情形；而非研究内部自成一形式系统的系统本身。

另一点与上述有关的是：马克思主张社会制度，如宗教、政治等，都是“阶级偏见化了的”。[72]即科学自身，也脱不掉阶级的偏见。[73]这种说法本来代表他的“经济的”唯物观。马克思在此处也是在讲“实践中的制度”，而非理想家空想中的制度。理想家可以说“理想的制度”是圆满的，公正的，无私心的。但实践中的制度，并非制度本身；它们自己是不会运动起来的。必须由某些“人”来运用它们。在任何社会中，既然都有经济上不同的阶级，并且，经济上占优势的阶级，也在其他社会活动及制度中占优势，故马克思说：“制度是阶级偏见化了的。”而在现社会中，制度是“资产阶级化”了的。他又认为：即理想家之创造其理想的制度，也是有由来的，而非无由来的。那就是说，他们实际的生活方法，在某种限度内，也限制他们的思想方式。用拉斯基教授（Prof. Harold J. Laski）的话，人不同地“生”，故亦不同地“想”。[74]照马克思的看法，在人们的社会思考中，最有社会意义的不同，乃是因其不同的经济存在方式,而产生的差异。这就是马克思用社会实践解释社会理论的学说。亦即上述探求社会上层结构之历史经济动机的方法。

三　辩证法与思想律

我们先述马克思和黑格尔的辩证法的关系。试看辩证法在马克思的系统中有什么意义。其次,我们要证明形式逻辑中的“思想律”与辩证法并不冲突。

(一) 马克思和黑格尔的辩证法

我们现在所欲证明的要点是:第一,马克思否认了当作形上学理论的辩证法;第二,但辩证法尚可当作一种了解演变中之物事的方法,这是马克思所接受的。

第一,马克思否认了唯心的辩证法,即辩证的唯心论。在证明此点之前,我们必须说明:何以辩证法在黑格尔的系统中,必须是一种形上学的理论?又何以知道当马克思说黑格尔的辩证法的时候,他是指的唯心的辩证法或辩证的唯心论?每个治哲学的人都知道,黑格尔哲学的特征是“有”(Being)和“思”(Thinking)的同一。这同一的必然结果,便是形上学与逻辑的同一。黑格尔的“逻辑学”不仅是一套思想的规则,也必然地是一套“有”和“变”(Becoming)的学说。固然,这“必然地”,是只就黑格尔说的。其他逻辑家的逻辑著作,当然不“必”是一套形上学的理论。因为黑格尔同一“思”和“有”,故讲思的逻辑,必然地与讲有及变的形上学同一。因此才有“唯心的辩证法”这类名词。“方法”本是空的形式或架子，它并不断言关于物事的真理。“唯心的”则是在心物发展过程中，断言心是根本的，之一种形上学说。所以，“唯心的辩证法”一词的意义，实则即是“辩证法的唯心论”。其中之“辩证法”，乃是其结构的理则；“心”是其结构的质料。

马克思对黑格尔哲学之“思”和“有”的同一，也知之甚悉。他在《哲学的贫困》一书中，曾说：“但事实上，形上学（整个哲学）是被黑格尔装在他的方法里了。”[75]这句话充分地证明：马克思确知黑格尔哲学中“思”和“有”同一的特征。他既确知此点，则当他说到黑格尔辩证法的时候，他当然指的是“唯心的辩证法”，也就是“辩证的唯心论”。虽然他在《资本论》序中说：“我的辩证法不仅和黑格尔的辩证法，根本上不同，而且是它正面的对头”；[76]可是他紧接着又说：“在黑格尔看来，思想过程是实在的创主；他认为实在不过是观念的外在表现而已。反之，照我的看法，所谓观念，不过是反映在、翻译在人们心理中的物质而已”。[77]马克思又说：“在黑格尔的著作中，辩证法是倒立着的”，[78]或是被他“神秘化”[79]了的。

从上述可以看出：马克思虽然在语言文字中说的是他自己的“辩证法”和黑格尔的辩证法不同，实则上却是指着他的辩证唯物论和黑格尔的辩证唯心论的不同。何以见得呢？一则，假如上述马克思所说的“辩证法”系当作一个纯粹方法的辩证法，则马克思显然地犯了既接受又反对同一件东西的矛盾。事实上，他既然接受了黑格尔的当作了方法的辩证法，且谓之为“一切辩证法一般的基本形态”；[80]则他不能（实际上他也没有）又反对它。上述“思考过程是实在的创主”的主张，正是唯心论的见解，绝非辩证法本身。“观念不过是反映在、翻译在人们心理中的物质”的主张，正是唯物论的见解,也不是辩证法自身。

二则,我们知道,方法本身,或把辩证法当一个纯粹方法,并不发生“倒立”或“神秘化”的问题。方法既是空的,何所谓“倒”和“正”? 何所谓“神秘”和“不神秘”? 只有对于以心物说明“有”和“变”的形上学说,才有所谓“倒”和“正”、“神秘”和“不神秘”的问题。以唯心唯物两种理论来说,则对于以下两命题:一、“思想是物质的创主”(姑认为是唯心论者的主张);二、“物质是思想的创立”(姑认为是唯物论者的主张):唯物论者当然可以说,第一命题是“倒立”着的。因为在他看来,应该做主词(头)的“物质”,却在第一命题中变成宾词(脚)了。把头变成脚,脚变成头,这岂不是“倒立”着么? 既然“倒立”着,自然就不可解;“不可解”就是“神秘”了。所以马克思说黑格尔的“辩证法”是“倒立”着的,“神秘化”了的,实在只是以辩证唯物论者的眼光,来批评“辩证唯心论”。

三则,此外还可以找到史料上的证明。他在给顾节尔曼(Dr. Kugelmann)的信上说:“我解释发展的方法并不是黑格尔派的,因为我是个唯物论者,黑格尔是个唯心论者。”[81]那就是说:“我和黑格尔解释发展的方法之不同,乃因为我用唯物的看法,他用唯心的看法。”亦即“我主张由物发展成为心;他主张由心发展成为物”。这里显然地表明:他解释“发展”的方法是指着“正”(与“倒”相对)的,“合理化”(与“神秘化”相对)的辩证法,亦即唯物的辩证法,或辩证的唯物论。恩格斯也有这个习惯,即用“辩证法”一词表示一种形上学理论。他说:“黑格尔的辩证法是弄倒了,因为他把辩证法当作了‘思想的自身发展’,而‘事实的辩证法’不过只是它的一个反映而已”。[82]又说:“据黑格尔看来,辩证法是概念之自身的运动。”[83]这些例证,都表示黑格尔之“倒立”着的辩证法,实际上就是辩证唯心论。

以上的讨论可以总结如下：在黑格尔的系统中，因为他同一了“有”和“思”，所以辩证法必须是唯心辩证法，而唯心辩证法实即辩证唯心论。当马克思批评黑格尔说：黑格尔的辩证法是把心物的演变过程，给“倒立”了的，或给“神秘化”了的时候，他乃是指着辩证唯心论。一般地说，辩证法自身，只是一个运动的形式，它和运动的本体（即唯心论的“心”）不应混为一谈。在马克思看来，运动的形式可以与运动的本体分开。但在黑格尔却是不能的：因为他主张“思”和“有”同一，亦即形式和本体不可分离。站在马克思的立场，既可说形式与本体不“必”联合，则他自然可以一面反对黑格尔的唯心论，另一面却接受他的辩证法了。他们两人的不同，根本上是因为：一个用辩证法建立了他的唯心论及唯心史观；另一个用辩证法树立了他的唯物论及唯物史观。两个人都以辩证法为运动的形式，故在此方面是相同的。但一个注重物，另一个注重心，故在此方面又不相同。在黑格尔，宇宙任何物事都是由“绝对观念”中辩证地发展出来的。马克思则强烈地攻击这种说法。他认为观念不过是现实世界的产品，而现实世界是受辩证法则支配的。

第二，马克思接受黑格尔的辩证法当作了解物事的方法。接受黑格尔的辩证法而反对他的辩证唯心论，在逻辑上并不矛盾。辩证法与辩证唯心论之不同，有如“红”和“红 X”之不同。正如一个人可以毫无逻辑矛盾地接受“红”而同时反对“红 X”一样，马克思亦可毫无逻辑矛盾地接受辩证法而同时却又反对唯心辩证法，即辩证唯心论。

上面已经说过了，马克思在另一方面，认为黑格尔的辩证法是所有的辩证法之基本的形式。他说：“虽然在黑格尔手里，辩证法遭受了神秘化，但这并不能抹杀以下的事实：即他是第一个完全有意地、完满地把辩证法的运动之一般形式给发挥出来的人。"[84]又说："黑格尔的辩证法是所有辩证法的基本形式。"[85]但是这个基本的形式，到底是什么呢？马克思自己，并没有直接回答这个问题，回答这个问题的是他的朋友恩格斯。他说辩证法有三个法则：即否定之否定，对立物之溶一，及由量到质和由质到量。[86]马克思自己关于辩证法的形式，并没有写什么东西；但他自己却把上述三项法则都应用了。例如他讲到：有钱的人或有商品的人，除非其最低限度的生产金额，大为超过中世纪的最高限度的时候，不会变成一个资本家；他曾引用由量到质的变化法则。他说："正如在自然科学中一样，我们也可以证实黑格尔在他的《逻辑学》中发现那个法则：原来本是量的变化，却变成质的了。"[87]他又认为由手工业主变成资本家，也是量的变化引出质的结果。[88]此外在其他地方，他也常提到这个法则。[89]关于否定之否定的法则，马克思说："辩证法除了供给一种现存物事状态的正面了解之外，它同时也供给对那种物事状态的否定（即反面）的了解，即对其必然没落的了解"。[90]马克思又说："资本主义的生产遭遇了（如自然律之不可易一样）它自己的否定（即没落）。"[91]马克思又把这个说法，应用到解释历史的事实上去。他说："黑格尔在某书中曾说过'所有的历史大事和大人物，都出台两次'。但他却忘记加上'一次是悲剧，另一次是喜剧'。"[92]关于对立物之溶一的法则，马克思说："虽然他（著者按：指 J. S. Mill）对黑格尔的对立物的理论（此实为一切辩证法的主要源泉），是不了解的；但他却完全了解显明的矛盾的性质。"[93]

我们引证的太多了。现在且把辩证法在马克思的社会研究法中的意义说明一下，这个问题比较困难。我们现在只想把辩证法在马克思的系统中,有什么可能的意义,略加说明。至于辩证法本身的问题,我们不想在此表示什么意见。

上面已经说过,马克思的方法是以:动的分析和社会现象之经济动机说为特征的。正如其他方法一样,动的分析亦必先假定一悟解外物的原则:按着这个原则所给予的线索,去推得结论。[94]这个悟解的原则,在马克思的系统中,就是辩证性质的原则。把辩证法看成一个方法,它的启示便是:外界物事既然在辩证地运动着,[95]我们便应该去辩证地了解它们;因为这样才能了解的"对"。也许有人说,辩证法不过是个假定,你假定外界物事是辩证地动,转过来又去辩证地了解它们,这岂不是转圈子么?这的确是个很大的理论问题。我们虽然不能解答这个问题,但我们却可以说,这个问题,并不能驳倒马克思的辩证法。何以呢?因为其他科学方法,也发生同样的问题。任何科学方法,只要它企图分析外界,必先假定外界确有某种"条理"(order)可供分析;而并非漆黑一团,无法搅清。(至于这个"假定的条理",是完全属于外界的呢,还只是我们人类悟解能力的产品呢,那是知识论上的问题。即使有法证明这种条理是属于外界的,我们所"知道"的条理是否即是外界的"自然的条理",都是问题。我们现在不讨论这些问题。)既然如此,则马克思的方法,何尝不可以拿辩证法为一关于外界条理的假定呢?若果把辩证法视为这样一种东西,则它在马克思的系统中,确可产生某种关系。

它可以使马克思在物事的变化过程中去研究物事。因为辩证法不仅"包括对物事存在之形态的正面了解,也包括其反面的了解,即其必然没落的了解。因为它认为每个由史的发展出来的社会形式,都是在变化的运动中的,所以它注意一社会形式的暂时存在,同样也注意其代谢的性质”。[96]现存物事既是根本变化的,则照这样去了解它,便是把握到了“真理”。马克思认为这种悟解外界物事的办法,在“本质上是批判的及革命的”。[97]

在这种意义上,马克思说:“任何以旧社会的‘迷信’来阻挠‘社会’问题的人,都是‘反动的’。”[98]因为任何社会形式都是变动的,所以社会问题的研究,乃是了解其变动的性质。如果有人以前一社会形式中的观念,来和当代社会的问题,搅在一起,便是“食古不化”,根本不了解社会的变动性,这就是“反动”。或者有人以代表当代社会中行将没落之势力的观念,来和代表新兴势力的问题争论,这便是妄想挽回“史的狂澜”,这自然也是“反动”,这种代表没落势力的观念,马克思名之为“迷信”或“意底渥逻辑”。也就是一种维持现状的保守思想。(马克思这方面的理论,近人道勃 M. Dobb,曾加以研究。[99]但注意最早,并且因受马克思的影响而发挥成一套理论的,则推满海莫 K. Mannheim 的《意底渥逻辑与乌托邦》(*Ideology and Utopia*)一书,简单地讲,他认为在某一社会形式中,代表没落势力的观念,是意底渥逻辑。此种观念常有维持现状的效用。代表新兴势力的观念,是乌托邦。此种观念常有推翻现状的效用。)

马克思又以“内在的必然性”[100]来解释物事的发展。在他看来,一物事的内部成分,发展到某一阶段,而互相冲突;此冲突势必形成一种该物事的新状态。用黑格尔的术语说,此即对立物之溶一的法则。这种了解物事的方式,与其说其意义在于应用什么“律”解释什么“事”,倒不如说它的意义在于:使马克思在物事的发展过程自身内,而非在其外,去推求其发展的原因。马克思所谓物事之“史的必然性”或“内在法则”,就是这种思想的表现。[101]马克思便用这些法则解释资本主义生产方法之史的趋势。他由这种生产方法的内部组织成分及其运动的规律,来推求其必然没落的趋势。这种了解物事的方法,可以说是受黑格尔之以物事的内在矛盾成分,解释其运动的说法,所影响了的。

(二)"思想律"和辩证法

在研究形式逻辑中的思想律和辩证法的关系以前,我们先把形式逻辑之一般的性质,叙述一下。

有许多人把形上学思考方法,当做形式逻辑。这种错误,是因为不了解此两者的性质所致。另外,恩格斯对形式逻辑的讨论,如A=A,"矛盾"等等,也能促成这种错误。很可能的:马克思派的学者,对于形式逻辑的认识,乃是由恩格斯的《反杜林论》和《自然辩证法》二书中获得的。在此二书中,恩格斯似乎把形上学思考方法和形式逻辑相混了。因为他所谈的"法则",并不是形式逻辑的法则,而是形上学的教义。但这在恩格斯的时代,很有可能。因为在恩格斯时代,逻辑也许还是半形式的,亦即仍然包括着一些后来认为是心理的和经验的成分在内。但现在谈逻辑的人,不谈则已;若谈,则都应该知道:现代逻辑之严格的形式性质。数理逻辑或符号逻辑是严格地形式的,固不必说;即旧日逻辑中的问题,也都变成形式化的讨论了。要想"批判"形式逻辑的人们,必须先了解其现代的进境和内容。否则,他们不免仍然谈的是恩格斯的旧问题。他们若不是在写恩格斯个人对逻辑见解的历史,而是在批判现代的形式逻辑;则恐其对于逻辑的知识也太赶不上时代了罢。

形式逻辑,顾名思义,是以形式性为特征的。"形式的"就是说,它不涉及事实或内容。比如,我们说"李君昨天演算了2+2=4

一题”。在某一意义上说,“李君昨天演算了某个算题”,即是一种“事实”。在另外一意义上讲,2 + 2 = 4 也可说是一种“事实”。但这两种事实的含义,却是不同。所谓形式逻辑不研究事实,乃指不研究前一种意义的事实。2,4 等数字,固然可以被我们加入前一意义的事实里去,如“2 桌加 2 桌是 4 桌”;但 2 + 2 = 4 这个算式自身,却和“2 桌加 2 桌是 4 桌”不一样,我们普通都说 2 + 2 = 4 与事实无关,其真意是说:它和前一种意义的事实无关。形式逻辑不研究实际物事的性质,它研究表现在命题中之物事的架构或关系。它又从这种关系中,推引出结论。例如有一架三块木板做成的桥,假定我们已知第一块板比第二块板结实,第二块板比第三块板结实,我们不必再测量,便可以知道:第一块板比第三块板结实。但形式逻辑又把这种关系,译为符号。设 A,B,C 代表这三块木板,> 代表“比……更结实”的关系。则假如知 A > B,B > C 都是真的,我们即可推知 A > C 也是真的。由 A > B 和 B > C 两命题中,推出 A > C,乃是依赖逻辑上名之为“涵蕴”(implication)的一种关系。但 A > B,B > C,故 A > C 等命题仍不是现代形式逻辑的核心;它们只是表示某种逻辑关系的实例而已。形式逻辑乃是研究关系,如 >,= 等等之逻辑性质的学问。它说 > 这种关系,既是“传统的”*,又是“不对称的”。传统的,那就是说,由 A > B 和 B > C 中,传递到或推出来 A > C 是可能的。不对称的,因为:若 A > B,则不会 B > A,可是 = 这个关系便不同了。它既是传递的,又是对称的。例如若 A = B,B = C,则 A = C;同时,若 A = B,则 B = A。形式逻辑便是研究这种传递、不传递、对称、不对称、涵蕴、析取等关系的学问。它并不探究物事的本性,因为:“正如分析棋子的原子结构,对研究下棋之

* 此处“传统的”疑为“传递的”。——编者注

无补一样;所以对名称(term)的究极分析,及考求其所代表之对象的性质,也无补于逻辑的研究。”[102]形式逻辑也不管命题的“真”和“假”的问题。反之,它乃是研究命题的“妥当”和“不妥当”的。命题的真假问题,是它和事实符合与否的问题,而一推论式之妥当与不妥当的问题,则是此推论式中之诸命题,能否逻辑地产生某一结论的问题。后一问题是要看:在此诸命题中,有无“涵蕴”关系的存在。那就是说:“一个形式上妥当的论式之结论,是被包括于其前提中了的;否认结论,接受前提,是自相矛盾的”。[103]简单地说,逻辑的职务,乃限于分析命题的诸种关系,并且凭借它们推出结论。它的研究纯是形式的。它是一种分析的手段,它既可把命题的意义弄明显;又可当作一种证示或表达的方法。

我们再看一看形上学思考方法,便可发现:在消极方面它缺乏形式逻辑的形式性质;在积极方面它又妄想“只由静坐与思考,去发现宇宙、生命之将来,以及人类之命运的真理”。[104]可是形式逻辑则有意地避免这些问题。其实形上学家,单靠一些范畴和抽象的公式,也没有能力去解答那些问题。他们不过只是用形上学思考方法,自创“物”、“本体”一类名词,要妄想由分析这些东西,便可以求得宇宙的真理而已。他们并不真的去研究外界的事实。

从以上的讨论中,我们知道:形式逻辑和形上学思考方法,是显然不同的。前者只是一个形式的系统,由原始概念和命题(primitive ideas and propositions)出发:并不断定经验中的任何真理。后者自以为是一个宇宙的真理,却又不是由分析物事得来的结果,不过止于分析抽象的观念而已。因此,如果勉强把形式逻辑中的同一律,当作一个断定实际物事之行动的真理,同一律当然没有这种资格。实际上同一律并不是那种断定事实真理的东西。但是近来的马克思派学者,却把此二者混为一谈。

现在我们可以知道:若把辩证法视为讲事实法则的东西,则形式逻辑中的思想律和它并不冲突。先讲同一律。恩格斯在他的《自然辩证法》中曾说:"那个抽象的同一律,即 A = A,不能应用到有机的自然界去;因为,认为任何物事,如太阳系、行星、生物等等,永远是在不变动的看法已经过时了。"[105]近来的马克思主义者,受这个见解的影响很大。他们也拿同样的论据来批评同一律。他们有的人说:任何物事都在变化的状态中,A = A 是不可能的。这种批评,显然地是由于误解了同一律所致。现在的逻辑家,都已不用 A = A 这个公式表示同一律的思想了。因为,它一方面发生某 A 是否等于 A 的问题;又发生 A = A 是否在任何时任何地都是真的的问题。为了避免这些误解,他们用一个假言命题,去表示同一律的思想,即"如果 X 是 A,它就是 A"。此处的 X 代表一个具体的东西,A 代表那个东西的"名称"(name)。在这个命题之中,我们对于:X 是或不是 A;对于 X 在某处是 A 而在他处又不是 A,都没有表示意见。我们所表示的意见只是:A 必须是 A。A 既然仅是 X 的名称,则"假如 X 是 A,它就是 A"这个命题仅涉及 A 的意义问题;而没有涉及物事本身(即 X)的行为问题。使令"这个桌子是圆的"一命题有意义的条件很多:同一律所指陈的情形,就是其中之一。当我们说"这个桌子是圆的"的时候,我们必须承认"桌子"是桌子,"圆的"是圆的线行。如果"桌子"不是桌子,"圆的"不是圆的,则"这个桌子是圆的"一命题,不能有意义。因为如果那样,则"桌子"和"圆的"可以同时是任何东西,又不是任何东西。它们的意义既不确定,则它们只是画出来的符号或叫出来的声音而已。"桌子"和"圆的"既都无意义,则"这个桌子是圆的"当然也没有意义。同一律所确述的只是:在说"这个桌子是圆的"时,不能不承认"桌子"

是桌子,“圆的”是圆的,那个必要的条件。所以,同一律本即只是和语言中的意义有关系的。如果人类的思考作用不能缺少语言,并且不能缺少固定的意义,则也可以说同一律和思想有关系。固然,从其他方面看,我们也可以把思想视为一个心理的作用,因而它也就受其他法则所支配:如心理学上的观念之联合法则等。但由于思考、语言及名称之意义有关一点言之,则同一律确是有效的思考的一个必要条件。若没有它,说话和思考都不可能。没有它,思想会变成“漆黑一团”,说话会变成吟啸。因为“思”、“说”所必用的字句,都没有固定的意义了。但这并不是说,同一律是思想的充足条件;因为只有它,也不能思考。

假如上面的话都是对的,则恩格斯所言“实际的东西,如太阳系等,都永远在一种变化状态中”一命题之所以为“真”,并不能证明同一律是“假的”。我们已经说过了,同一律并未涉及物事本身行动的情形。物事本身运动的情形,即使可以受辩证法则的支配,但其名称的意义却要受同一律的支配。恩格斯那个批评:“既然宇宙间每件物事都是在变动状态中的,所以 A = A 是不可能的”,假如其目的是在攻击同一律,可以说是“文不对题”,没有效果。

其次,我们再讨论矛盾律。我们先看看批评矛盾律的人的说法。他说:“形式逻辑的基本原则是排斥矛盾。在形式逻辑的范畴内,一个物事不能既存在又不存在,不能同时是它自己又不是它自己。显然地,如果把现实视为静止的,形式逻辑家们这种观点是正确的。……但现实向来未曾立定不动。若承认此点,我们同时即须承认形式逻辑范畴的缺点。因为对于在变动过程中的物事,形式逻辑家所制定的排斥矛盾法则,是不能应用的。一件物事可以是它现在不是的东西,因为它可以变成其他物事。”[106]这种见解,也是对于矛盾律的误解。“矛盾”这个字,在近代逻辑中,特别指存在于两命题间的情形。其意义和黑格尔的用法,即以之指述关于物事存在的情形,大不相同。矛盾律的说法是:“X 不能同时既是 A,又不是 A”。这里所谓矛盾,并不是两个名词,如“A”和“非 A”的矛盾,因为“A”和“非 A”,显然地可以同时存在而不必矛盾。例如帽子和非帽子,即可同时存在,而不冲突。矛盾律中的矛盾,乃指两个二分法的命题,即“X 是 A”,“X 不是 A”。这两个命题既然是二分法的,则它们间的关系,既是互相排斥的又是穷尽所有可能的。那就是说,只有两个可能,即“X 是 A”和“X 不是 A”。因为矛盾律说“X 不能既是 A 同时又不是 A”。如果用这个律来解释实际的物事,则须知此律却未曾对实际物事中的物质矛盾,加以可否。这个律也是关于思考的,特别指和语言及其意谓发生关系的思考作用而言。摆在桌子上面的一本书,可以时时刻刻地在改变它的色素。但假如我说:X 是一本书,则 X 不能是一本书,同时又不是一本书。尽管“现实向未立定不变”,但这并不能证明矛盾律是假的。宇宙尽管有各种方式的变动,但这件事实并不能使一个对它没有确说什么的命题,变成假的。批评矛盾律的人,可以主张:一个物事能变成其他物事;但这与矛盾律无关。因为矛盾律对于物事的行为,并没有表示意见。所以,“认为逻辑真理对于实在或宇宙之某些特殊的不可思议的性质有所指述”的人,是错了:因为逻辑真理并没有那样指述。

注　释

①*Capital*, Vol. I, pp. 24–25. (Chicago)

②Ibid., p. 23.

③Marx, On French Materialism, in *Die heilige Familie*. Cf. *Marx-Engels Gesamt-*

ausgabe, Abt. I, Bd. 3, p. 304. Or *Selected Essays*, p. 181.

④Ibid.

⑤Engels, Introduction to *Capital*, Vol. III, p. 24.

⑥Marx, *The Poverty of Philosophy*, p. 80. (M. L. Ed.)

⑦Marx, *Capital*, Vol. I, p. 12. (Chicago) Also Eden & Cedar Paul's Tr. p. 862. *Das Kapital*, Vol. I, p. 4. (Hamburg 1872)

⑧Marx, *The Poverty of Philosophy*, p. 90. (法文原文) Misore de la Philosophie, Cf. *Marx-Engels Gesamtausgabe*, Abt. I, Bd. 6, p. 117.

⑨Ibid.

⑩Marx, *Die heilige Familie*, Cf. *Marx-Engels Gesamtausgabe*, Abt. I, Bd. 3, pp. 228–231.

⑪在 *The Poverty of Philosophy* 中有此意见。

⑫Marx, *Die heilige Familie*, Cf. *Marx-Engels Gesamtausgabe*, Abt. I, Bd. 3, pp. 228–231.

⑬Ibid.

⑭Ibid.

⑮Marx, *A Critique of Political Economy*, MSS. Introduction, p. 202.

⑯Ibid.

⑰Ibid., pp. 293–294.

⑱Ibid., p. 293.

⑲Ibid., p. 295.

⑳Marx, *Capital*, Vol. I, p. 12.

㉑Ibid.

㉒Marx, *A Critique of Political Economy*, p. 293.

㉓Marx, *Capital*, Vol. I, p. 12. (Chicago)

㉔Marx, *A Critique of Political Economy*, p. 295.

㉕Marx, *Capital*, Vol. p. 23.

㉖Ibid.

㉗See *The Poverty of Philosophy*, Observations.

㉘Marx, *Capital*, Vol. III, p. 951.

㉙Marx, *Value, Price & Profit*, Cf. Lee's *Essentials of Marx*, p. 143.

㉚Marx, *Capital*, Vol. I, p. 330. Paul's Tr.

㉛Marx, *Value, Price & Profit*, Cf. Ibid.

㉜Marx, *Capital*, I, p. 594. Also *Capital*, III, p. 360. (Chicago)

㉝Ibid, Vol. I, p. 594.

㉞Marx, Letter to Editor of Otyecestvenniye Zapisky, End of 1877.

㉟Marx, *Capital*, Vol. I, p. 93, Note. (Chicago)

㊱Ibid.

㊲Ibid.

㊳Marx, Letter to Editor of Otyecestvenniye Zapisky, End of 1877.

㊴Ibid.

㊵Quoted by Marx in *Capital*, Vol. I, p. 24. (Chicago)

㊶Marx & Engels, *Die deutsche Ideologie*, Cf. *Marx-Engels Gesamtausgabe*, Abt. I, Bd. 5, p. 134.

㊷Ibid.

㊸Ibid., p. 178.

㊹Marx, *Capital*, I, p. 393. Paul's Tr.

㊺Marx & Engels, *Marx-Engels Gesamtausgabe*, Abt. I, Bd. 5, p. 10.

㊻Ibid., p. 178.

㊼Marx, *Capital*, I, p. 393. Paul's Tr.

㊽Ibid.

㊾Ibid., p. 69.

㊿Ibid., pp. 388–389.

51Ibid., p. 414, Note.

52见本书第五章。

53See Mannheim, *Ideology and Utopia.*

54Marx & Engels, *The German Ideology*, p. 80. (1938 Tr.)

55Ibid., p. 38.

56Marx, *Theses on Feuerbach.*

57Marx & Engels, *The German Ideology*, pp. 6–27.

58Ibid.

59Ibid.

60Ibid.

61Ibid., p. 15.

62Ibid., p. 42.

63Hegel, *Philosophy of History*, p. 477, Tr. by Sibree. (London, 1872)

⑭Marx & Engels, *The German Ideology*, p. 14.

⑮See Marx, *The Poverty of Philosophy*; Marx & Engels, *The Communist Manifesto*.

⑯Marx & Engels, *The German Ideology*, p. 36.

⑰Ibid., p. 40.

⑱Ibid.

⑲Ibid.

⑳Ibid., p. 30.

㉑Ibid., p. 40.

㉒Marx & Engels, *The Communist Manifesto*, Cf. *Handbook of Marxism*, p. 25.

㉓Marx, *The Civil War in France*, p. 44. (Chicago)

㉔Laski, *The State in Theory and Practice*, p. 102.

㉕Marx, *The Poverty of Philosophy*, p. 113.

㉖Marx, *Capital*, I, p. 873. Paul's Tr.

㉗Ibid.

㉘Ibid.

㉙Ibid., p. 874.

㉚Ibid., p. 873.

㉛Ibid.

㉜Engels, Letter to Schmidt, 1st. Nov. 1891.

㉝Engels, *Feuerbach*, pp. 223-224.

㉞Marx, *Capital*, I, p. 693.

㉟Marx, Letter to Dr. Kugelmann, 6th. Mar. 1865.

㊱Engels, *Natur Dialektik*, See *Marx-Engels Gesamtausgabe*, Abt. I, Bd. 6, p. 500. Sonderausgabe, or translation of this section by C. Dutt, in *The Modern Quarterly*, Vol. I, No.

㊲Marx, *Capital*, I, p. 319. Paul's Tr.

㊳Marx, Letter to Engels, 22nd. Jun. 1867.

㊴Marx, *Capital*, I, p. 694, Note. (Chicago)

㊵Ibid., p. 27.

㊶Ibid., p. 837. Paul's Tr.

㊷Marx, *18th. Brumaire of L. Bonaparte*, p. 9.

㊸Marx, *Capital*, I, p. 656. Paul's Tr.

⑭Hegel, *Lesser Logic*, See *The Logic of Hegel*, Tr. by Wallace, p. 78.
⑮Engels, *Socialism: Utopian & Scientific*, p. 34. (1892)
⑯Marx, *Capital*, I, p. 26. (Chicago)
⑰Ibid.
⑱Marx, Letter to Engels, 20th. Jun. 1865.
⑲Dobb, M., *Capitalism and Political Economy.*
⑩Marx, Letter to Kugelmann, 3rd. Mar. 1869.
⑪Marx, *Capital*, I, pp. 270, 846. Paul's Tr.
⑫Ramsey, F., *On Facts and Propositions*, See *Foundations of Mathematics*, p. 145.
⑬Ibid., p. 185.
⑭Russell, B., Philosophy in The 20th Century, in Listener, 14th. Oct. 1936.
⑮Engels, *Natur Dialektik*, Cf. Marx-Engels Gesamtausgabe, Abt. I, Bd. 6, p. 623. Sonderausgabe, including Engels' Writings from 1873 to 1882.
⑯Cole, G. D. H., What Marx Really Meant, pp. 284–285.
⑰Lewis, C. I. & Longiord, *Symbolic Logic*, p. 212.

第二章　反玄学的论证

一　引论:解题

马克思的学说有两种性质。在积极方面,它是一种历史的或社会的理论。在消极方面,它是一种激烈的反形上学[①]主义。本章仅拟讨论其消极方面的性质。至于其积极方面的意义,则留待下二章详论。

我们最好不名马克思的学说为哲学,因为他的学说和传统哲学的性质,是迥乎不同的。但假如名之为哲学,我们却要知道:马克思的哲学乃是反形上学的。我们所以说它是反形上学的缘故,不仅因为它反对形上学系统内的某一种"主义"(ism);并且因为,对于整个形上学而言,它根本是另外一个哲学系统。马克思既反对形上学的思考方法;又否认形上学中的基本概念。此外,他所认为的哲学之性质与功用,也和传统的形上学之性质与功用大不相同。传统的形上学的思考方法,基本概念,性质及功用既都与马克思的学说不同;则如果马克思的学说能成为一个系统,且亦名之为哲学,它便是反形上学的哲学系统了。

以上一点证明了以后,我们再进而指出:马克思哲学的应用范围，以及在他的唯物史观或史的唯物论中“唯物论”一词之特殊的意义。知道马克思的哲学之正当的应用范围，我们才不至于把它应用到不该应用的范围中去。知道“唯物论”一词在马克思史的唯物论中之特殊的意义，我们才不至于把它与形上学中的唯物论相混；并且也不至于以批评后者的标准，来批评马克思的学说。以下试逐次说明。

二　反形上学的论据

马克思反对形上学当然有他的理由。他的反形上学的论证虽以见于《哲学的贫困》一书者为最多，但散见于他书者也不少；而且在性质上比较更重要。我们搜集马克思反形上学的文字，分析其内容，可得出以下三种意见：一、他否认了形上学的思考方法。二、他驳斥与实践分离的“实在”及“真理”诸概念。三、他自己关于哲学的性质及其功用也有另外一套积极的见解。四、最后我们分析以上三项论证的含义，而断定马克思的哲学与形上学是两种不同的哲学系统，而非理论的哲学与应用的哲学之别。

（一）马克思否认形上学思考方法

我们先讲马克思所述形上学的思考方法的特征是什么，然后再讲马克思对于这种思考方法的批评。兹分述如下。

第一，马克思认为形上学的思考方法，有三种特征。②

一则，形上学的思考方法之第一个特征，便是利用“抽象能力”

以创造"抽象的概念"。当马克思批评普鲁东(M. Prouhdon)的"经济形上学的思考方法(economico-metaphysical method of thinking)"[③]时,他说:这种方法的特质,便是在创造抽象的概念(making abstraction)或范畴,而不是在做分析(making analysis)。[④]又说:"形上学家们在创造抽象概念的时候,以为自己是在分析,他们逐渐离开了物事,反而认为自己已达深知该物事之境。这种形上学家们自然可以说:物事仅是一些以逻辑范畴为底布的刺绣了。"[⑤]但这抽象的过程究竟是怎样一种过程呢?马克思认为:就是使"自己逐渐离开物事","把人们所熟知的物事特征给抽出来"的一种过程。用这种方法,于是"所有生活于陆上及水中的物事,都可被抽象成一种逻辑的范畴"。[⑥]"整个的真实世界因而可被浸入一个抽象概念的世界,浸入逻辑的抽象概念世界"。[⑦]

二则,形上学的思考方法之第二个特征,便是将范畴视为"固定的观念"、[⑧]是"不朽的"、"不动的"[⑨]等。马克思在批评普鲁东时说:"不把它们(著者按:指范畴)当作与物质生产之某一特殊阶段相符合的,生产之历史关系的理论表现(theoretical expression),他(著者按:指普鲁东)竟妄谓它们是先于所有实在而存在的永恒的观念。"[⑩]又说:"在普鲁东看来……抽象的概念及范畴是原始的原因。于是,照他的见解,不是人,而是它们,制造了历史。离开了人们及其活动,把抽象的概念,范畴视为独立的,它自然是不朽的、不动的、不变的了。"[⑪]在这一段话中,马克思告诉我们:形上学的思考方法认为范畴是"无变化的"及"不动的"。[⑫]

三则,形上学家们不仅视范畴为固定的、永恒的,他们并以范畴为唯一的研究对象。他们以为可以从范畴中,发现宇宙究极的真理。马克思说:"经济学家们的材料是人类之活的、有力的生活”;[13]而普鲁东这个经济的形上学家的材料,则“是经济学者们的教条”。[14]他已“有这些现成的范畴在他的面前”,[15]他“仅仅把这些思想依字母的顺序,排列成秩序”[16]即可。也就是说普鲁东“在实际的关系中,没有看到其他,而只看到这些原则,这些范畴的化身而已”。[17]因此,他相信:“改变范畴的结果即将改变真实社会的秩序”[18]了。

第二,马克思既指出形上学的思考方法具有上述的特征,我们再看他怎样批评这种思考的方法。

一则,马克思首先认为,范畴是具有历史性及暂时性的产物。他认为:“一物事的名称与该物事的实质不同。由于仅知某人名叫杰克,我并不能认识一个人。”[19]因为名字仅能“代表”或“指述”一物事,而并不就“是”它。马克思以为范畴只是实际物事之“理论的表现”[20]或“抽象的表现”。[21]例如,“经济的范畴便仅是这些实际‘经济’关系的抽象表现,且只有当这些关系存在时,它们总是真的”。[22]范畴的自身,根本是人发明的。“建立与他们的物质生产相符合的社会关系的人们,也制造了与他们社会关系相符合的原则、观念与范畴”。[23]所以,很显然地,“这些观念,这些范畴不会比它们所表示的关系更恒久。它们乃是具有历史性、暂时性的产品”。[24]

二则,研究的对象,在马克思看来,是事实而非范畴本身。马克思在他的《资本论》中,会谈及他自己的研究方法;他同意他的俄国批评者所说:“研究的出发点,必须是外界现象,而非观念。”[25]我们还须进而“详细考究外物,分析其诸不同的发展形态,并探求此诸形态之间的内部关系”。[26]也就是说,我们的物质知识惟有得自对于外物自身的研究。所谓研究云者,便是人类与客观的实在之不断的接触。惟有这样,我们才可以真确地知道外物的本质。这种认识不是仅凭范畴做抽象的玄想，所可得到的。形上学的思考方法的错误是在：它整个地依赖着抽象的范畴。须知范畴、“魔术的公式”[27]以及“意识形态系统的大厦”（edifice of idelolgical system）[28]的本身，并不能“解释那个一切关系同时存在，并且彼此相互支持着的社会结构”。[29]它们同样也不能说明历史。因为“历史并不是这样规范地进行着的”（“History does not proceed so categorically”）。[30]“历史不会是由公式造成的”。[31]因此，我们可以用恩格斯的话来归结：“马克思认为物事及其相互关系，是在不断地变动着的；因此，它们的心理影像（mental image）以及代表它们的观念，同样也是不固定的；故不能把它们泥封于严格的定义之中。”[32]

（二）马克思驳斥形上学中某些基本概念

马克思不特否认了形上学的思考方法，他对于形上学最基本的概念，也加以驳斥。关于这方面的意见，我们可由其《费耶巴赫论纲》[33]中窥出。

第一，关于“实在”（Wirklichkeit）[34]的问题。马克思以为：思想的实在与非实在问题，不应与“实践”（practice）分开。若与实践分离，则此问题即变成一“烦琐哲学的”（scholastic）问题了。这样一个问题便不值得我们回答，而且也不能做实际的解答。据马克思看来，自古迄今的唯物论其主要缺点，即在不能认识“客观东西”（object）、“实在”（reality）、“感觉性”（sensuousness）乃是“人类感官的活动”（human sensuous activity），亦即实践。马克思这句话非常重要。实际上，这等于否认了每一种之形上学理论，无论是唯心论或唯物论，因为后者都是解答思想中的实在与非实在问题的。

例如,唯物论便证明物质是实在,而唯心论相反地,则证明心灵是实在。其他形上学说,即使它们可以放弃心物等概念,但不能拒绝回答实在的问题。传统的形上学主要地便是寻求实在的学问。假如它若不寻求实在,它就失去其存在的意义与价值,不成其为形上学了。马克思给实在问题所加上的"实践"一概念,[35]与传统的形上学是全然无关的。因为形上学的内容全都是在讲一些抽象的范畴,如心、物等,它并无意跻于实践的科学之列。

第二,关于"真理"(Wahrheit)的问题。马克思也不承认:真理的问题可经一玄想的过程而解决。这问题,在他看来,也是个实践的问题,而非一理论的问题。惟有在实践中,人们才可以证明一种思想或观念的正确(true)与否。并且,只有在"人类的实践"及在"此实践之理解"(comprehension of this practice)中,一切使理论变成神秘主义的神秘性,才可以求得其理性的解决。马克思在这里所提供这个关于真理的理论,似有几分与詹姆斯(W.James)实践主义的真理论相类似。詹姆斯认为形上学中的一多、心物等问题的争论,是无谓的,无头绪的。[36]因此他自己另外创立一种实验主义的真理论。据这种真理论,我们的每个观念都以其能否在人类的实践中产生"实际的效果"一标准来衡量。在这一意义上言,詹姆斯的实验主义,也是一种反形上学主义。但是,马克思反形上学的态度,却又远较他为激烈。

(三) 马克思对新哲学的性质及功用的暗示

在推翻了形上学的思考方法及其根本概念后,马克思接着又讲到一种新哲学的性质及功用。马克思认为"形上学已变成陈腐的了”,因为“正值实在的尘世的物事将所有的兴趣集中于其自身时,形上学的境域中除了幻想的生物及天上的物事外,别无所有了”。[37]新哲学的性质则与此不同。它不研究抽象范畴的“实在”问题,而研究活动的人们之可感觉的活动,并“由人们正在生活于其中的某种社会状态中,去认识它们”,更要“在使其变成现在状态的生存条件中,去了解它们”。[38]马克思既假定这是新哲学的中心问题,他自然会主张:“当代哲学如欲变成真理,除与政治联合外,别无他途”[39]了。

至于这种哲学的功用,也就不是“不同地解释了世界”,而是“变革这世界”了。[40]对于“实践的唯物论者,亦即共产主义者,问题乃是变革现存的世界,并积极攻击既存的环境而改变之”。[41]这种看法也和传统的形上学的看法,全然不同。诚如罗素(B. Russell)所说,形上学家们企图由静坐沉思中,发现宇宙的重要真理,生命的将来,或人类的命运。[42]马克思则认为:在哲学中理论与实践必须联合。在这种意义上,他把传统的形上学叫作“玄想的哲学”,[43]叫作一个“武断的,空想地脆弱的抽象概念”[44]的系统。它是玄想的、抽象的,因为它与人们的活动毫无积极的关系。它以武断的、纯理论的概念出发,结果亦终于是一种玄想。

(四) 不同的哲学系统

我们讲到这里自然要发生一个问题,即:马克思的哲学与传统的形上学究竟是什么关系呢?在我看来,它们的关系有三种可能。以下逐项述之。

第一,马克思的哲学是形上学系统中之一种“主义”。这样,则马克思的哲学在形上学中的地位,即将无异于康德的唯心论,或霍布士的唯物论在其中的地位了。它只是一种形上学理论而已。但这显然是不可能的。马克思用"实践"一概念批评形上学,实在提供了一个批判形上学的外在标准。因此,马克思的哲学不但是"反"形上学系统中之某一主义的(如形上学中的唯物论"反"形上学中的唯心论);并且也是"反"整个形上学的。它既是反整个形上学的,所以它就立于形上学的系统之外。

我们可以举例说明。比如我们批评欧几里德派(Euclidian)几何学中的"点"与"线"不是真的,因为我们在实际经验中找不到这种点。据欧几里德的定义,点是不可分的;但在事实上没有一个点是没有部分的。我们这种批评,便是给欧几里德几何学一个外在的批评。因为欧几里德几何学内部即以上述意义的点与线,为其根本的假设。它虽然不管这些基本概念的经验内容,可是它只利用那些抽象的概念及规则,就可以自成系统。它是个演绎的系统,也是个自足的系统,不必求助于经验。学几何学的人都知道:只要熟悉几何学内部的概念、原理、规则,我们就可以证明的头头是道;几何学者不必问:这些概念、原理、规则在几何学系统以外,还有什么经验的意义。

因此,所谓"经验的内容"一概念,乃是立于欧几里德几何学系统以外的思想。而用"经验"观念来批评欧几里德几何学的评论,便是一种系统外的批评。马克思之批评形上学,也是像这种批评之于欧几里德几何学一样。他用"实践"一概念来批评形上学,但我们知道:形上学根本不谈实践。所以,马克思对于形上学的批评乃是系统外的批评。而他自己用实践概念为基本观念的学说,亦立于形上学系统之外。绝不是其中之一种主义。

第二，把马克思的哲学视为“应用哲学”而形上学为“理论哲学”，如果不能满足下列两种条件，这种看法也是不对的。这两个条件是：一则，假定传统形上学的根本精神或问题（即其所以为形上学的特质）为 X，Y，Z，则我们如果把马克思的哲学视为应用哲学，它亦必以 Xa，Ya，Za 为其根本精神或问题。正如应用数学必须利用理论数学的基本公式一样，故应用哲学亦必利用理论哲学的基本观念与原则。简而言之，理论哲学与应用哲学在形式上相同，因为它们都有 X，Y，Z 等特征。但在本质上却不相同，因为应用哲学除了 X，Y，Z 之外，还有个 a；a 是特殊的应用范围，X，Y，Z 是被应用到 a 方面的基本观念及原则。二则，由上项中还可以得出一个推论。即：在理论上，应用哲学绝无理由否认理论哲学；因为它们在理论上是互相依赖的。并且，在事实上，应用哲学也无必要，甚至也无可能攻击理论哲学；因为它们在事实上是不可分的同时存在。

按着上述二规则来考察，可知马克思的哲学与形上学的关系，绝不是应用哲学与理论哲学间的关系。相反地，马克思既驳斥了形上学追求实在的基本观念，驳斥了形上学的思考方法，他自然就是驳斥了整个的形上学。他已经“在理论上摧毁了形上学的声誉”。[45]不惟在理论上，马克思否认了形上学的基本概念、原则及方法，即在事实上，自他本人倡导反形上学的学说以来，马克思派的哲学家即不断地企图推翻形上学系统，而欲取而代之。借用马克思的话说，马克思派哲学家已变成了形上学的“历史家”，“为了要写它消亡的历史”。[46]可见马克思的哲学与形上学的关系，并不能满足上述那两个规则。因此，它们便不是应用哲学和理论哲学。

第三，最后一个可能是说它们是不同的哲学系统。为了要证明这个说法，我们必先说明何谓“不同的哲学系统”。大凡一哲学系统必有其自己的问题及其自己的解答方法。在西洋哲学的系统中，有实在、本体等问题；而唯物论、唯心论、一元论、多元论等便是从质量各方面回答此诸形上学问题的学说。并且也有其特殊的解答方法。在中国的哲学中，则有“天人”问题、“知行”问题等，并亦有其特殊的解答方法。任何理论，只要承认某一哲学系统中之问题是问题，并积极地解答此问题者，即为该哲学系统内的学说。反之，若一学说认为某一哲学系统内之问题不成问题，而提出另外一些问题，并求解答那些问题者，则此学说即不在该系统之内。用符号来表示：试以 A，B 代表两不同的哲学系统；以 a，b，c 及 a′，b′，c′各代表此二系统内的积极学说，亦即对 A 及 B 的各种答案。于是，则一系统内两不同的学说之差别，只是 Aa 与 Ab，Ab 与 Ac 的不同。或者只是 Ba′与 Bb′，Bb′与 Bc′的不同。但整个系统的不同，则是 A 与 B 的不同。这是根本的性质及根本的问题之不同，非如 Ba′与 Bb′或 Aa 与 Ab 只是对相同问题之不同解答的不同。

既证明不同的哲学系统的性质，我们试再证明：马克思的哲学与形上学为不同的哲学系统。形上学的主要特征，是主张我们的知识并不限于耳闻目睹的物事。它研究不存在于时间，亦即不是自然之部分的物事。形上学假定：凡不存在于时间中之物事，必存在于其他地方。也就是说：凡不存在于自然界中的物事，都是一种“超经验的实在”（supersensible reality）。[47]由此可知，形上学乃是想用推理的方法取得知识，此种知识的对象，乃是不存在于自然界，为人类知觉所不能及的超经验的实在。形上学认此种超经验的实在为真的；而知觉的对象，如红色的桌，木的椅等，都只是些表象（appearance）而已。当然，形上学家们也可以说：“心”或“物”是究极的实在；但他们所谓“心”并非你我之心，乃是一个超经验的实在或一个抽象的概念。同样,他们所谓“物”亦非桌子或椅子等,也只是一个逻辑的抽象概念,即一个超经验的实在。自柏拉图以迄今日,形上学家们如斯宾诺莎、莱伯尼兹(Leibniz)、康德、黑格尔,大体上均从事于此种研究,亦即:都探究此超经验的实在是什么。固然,我们知道他们的解答是不同的。自另方面言,形上学家的方法,仅是在创造抽象的概念或抽象的范畴,并造出一些武断的思考规则。复由此范畴及规则建立他们的思想系统。他们的方法纯粹是演绎的,因为他们以某些武断决定的概念与规则开始,而由其中推得结论。

我们根据上述即可断定:马克思的哲学是反形上学的。我们细细分析上面一、二、三各项论证,可见马克思不但不满于“抽象的范畴”,探求“超经验的实在”等概念;他也不满于形上学的思考方法。但因事实上形上学本来就是这么一个抽象的研究,所以,马克思的论证不仅是反对形上学中之某一种主义,而是反对整个的形上学。此外,马克思又以为形上学家的逻辑公式,不能解决实际的人类社会问题,因为它们没有经验的意义。然而,我们知道:形上学根本就是非经验的,则马克思此说法若非因不懂形上学的性质而“无的放矢”;[48]便是有意地给它一个致命的打击。但根据我们以上对马克思见解的分析,他确乎很知道形上学的基本性质。明明知道传统形上学的真实性质,马克思却公然地攻击它;不但攻击它,他更积极地主张:哲学应变成一种与人类活动相联合的正确研究。可见马克思的哲学显然地是反形上学的。而仅就其消极方面看,它是一种反形上学主义。

兹将马克思哲学与形上学的主要异点,归结如下。一则,形上学无相关事实(relevant fact),只是纯理论的抽象系统。尽管它自己认为是在研究宇宙的究极本体问题,但它之所谓宇宙却只是想象中的宇宙,而非经验界的外在宇宙。马克思的哲学,则以人类具体的、变动着的社会为其对象或相关事实。二则,形上学的方法是玄想的推理,如罗素所说,是静坐沉思,是一种"有纪律的想象"(disciplined imagination)。[49]它不但以玄想为手段;就其想出之结果言,以等于以玄想为目的。马克思的方法[50]是分析事实,分析物事之性质及其相互关系。在马克思看来,分析只不过是达到认识外界物事这个目的的一种手段。三则,倘形上学家自以为他们是在寻求宇宙的真理,他们也不能仅靠玄想的方法求得。其理由可借用黑格尔的话说:认为"去思维一物事便是发现该物事之本质的手段"[51]是不可能的。反之,马克思由于事实的分析,直接与实际物事接触,故有正确了解物事之可能。四则,形上学的功用,如罗素所说,乃是"情绪上的满足";[52]而马克思哲学的功用,则在了解社会并且有意地促进社会转型的必然性。

根据以上种种分析,我们可以断定:在消极方面,马克思的学说是反形上学的;在积极方面,他的学说也自成一个系统。如果我们名其学说为哲学,那么,也可以说:马克思的哲学另成一个哲学系统。

三　马克思哲学的应用范围及"唯物论"一词的特殊意义

马克思在积极方面自成系统的学说,就是唯物史观,或历史的唯物论,亦称辩证唯物论。关于这种学说的内容,我们留待以下两章详述。此处先要讨论另外两个问题。一、马克思哲学可应用的适当范围。二、马克思在他的辩证唯物论中所用“唯物论”一词的特殊意义。

(一) 马克思哲学的应用范围

马克思的哲学不是，并且在某种意义上，也不能是，一种无机及有机的自然界的哲学。我的意思是说，如果不把马克思用以说明人类历史的基本观念(即生产方法)取消，则不能解释无机的及有机的自然界的演化。目前有一趋势，认为马克思的学说既为一解释人类社会发展的学说，同时又是一种解释无机的及有机的自然现象的学说。这派主张的理由，即：先把辩证法视为一普遍的运动规律，[53]而此规律又为马克思所应用，所以，马克思的哲学乃是一种包罗自然界与人类社会的学说。

在我看来，这种意见是错误的。我们所以认为马克思的唯物论是一种人类社会的哲学者，系因它的“物”的概念(即生产方法一概念)，根本是由社会的成分所组成的。它用此种已经存在于社会中的成分，来说明社会的内部结构及其活动。它说：“XRY”一关系体乃是社会发展的基本动因。因为，“XRY”根本即已存在于此发展的过程之中，所以它总有与社会发展过程发生关系(即为其动因)的可能。此外，若用神的意志或任何其他外在的原因，来说明人类社会的演进，我们认为都是讲不通的。但我们认为：生产方法这个基本概念，虽可能说明社会的发展，却不能用以说明自然的演化。其理由即因：在自然界的演化过程中，并没有生产方法的存在。既然如此，它当然就不能解释那个过程。无机自然界中岩石的生成，有机自然界中草木的滋生，牲畜的繁殖，都不会以生产方法为其动因。换言之，由劳动力、原料和工具三者所构成的生产方法，只能加工或利用上述各物，却不是决定它们内部组织之发展的动因。不但岩石生成和草木滋生过程中，没有生产方法存在；即牲畜繁殖过程中，也何尝有生产方法？因此，生产方法当然不是决定其内部发展的动因；而唯物史观或辩证唯物论亦即不是解释无机或有机自然界的学说。这似乎是很自然的事情，因为每种有用的学说，都有其一定的应用范围，超过此界限它便无用了。

至于辩证法自身究竟是不是一种普遍的运动规律，对于唯物史观的应用范围这个问题，并无关系。辩证法在马克思的哲学中，仅是"物"运动的方式或状态，而非物本身。固然我们知道，恩格斯曾说过："自然在辩证地运动着"；[54]但他绝不是说：自然界的演化可以用生产方法来解释。假如我们勉强说马克思的学说是一种说明自然界现象的哲学，则必须放弃其生产方法这一根本观念；而另用一种既能解释社会又可说明自然界现象的基本观念代替之。可是，它假如放弃了生产方法一观念，它就失去唯物史观的核心了。甚至于也就不再成为一种社会学说了。在此种意义上，我们认为：马克思的哲学不是说明自然界现象的学说。

实则，马克思自己的作品本来都是讨论社会和历史问题的。恩格斯则有时超出此范围。[55]不过恩格斯却深知马克思的伟大处，乃在其发现"社会发展的法则"，并且亦承认此法则与达尔文（C. Darwin）的"有机界的法则"（laws of organic nature）不同。[56]马克思自己并无意使他的"唯物论"成为一解释自然现象的学说；同时，他亦深知：他自己的著作和达尔文的学说，纯属两方面的东西。他曾经明确地承认达尔文的《物种原始》（*Origin of Species by Natural Se-*

lection. etc.）一书是自然科学[57]或自然历史[58]方面的学说。由上可见：马克思和恩格斯两人都以人类社会为其研究的主要对象。

因为上述的理由，我们认为马克思的哲学既为一历史观，又为一革命论。辩证唯物论一方面说明：过去社会的形成及发展，另方面又根据社会发展中"历史的必然性"的观念说明来变革现社会，建立未来的社会。前一段是一种历史哲学；后一段是一种革命理论。我们试仔细阅读马克思的著作，即可发现这种特质。其实，马克思学说的性质，最好是拿他自己的话来形容，他说："至于我自己，我并未先发现近代社会阶级及阶级斗争的存在……我的新贡献乃在证明：一、阶级的存在是与生产发展中之特殊的历史条件有密切关系的；二、阶级斗争必然地会走上无产阶级专政一途；三、无产阶级本身乃是达到消灭阶级及达到一无阶级社会的过渡。"[59]上述第一项当然是历史哲学的工作；后二项则是革命哲学的工作。共产主义者即由此而推出他们的革命策略。而且马克思在第二项中所言，已于一九一七年俄国的革命家付诸实行了。另外，还有一件事情，也不是偶然的。即马克思和恩格斯的《共产党宣言》，开首一句便可以代表他的历史观；而结尾一句则可以代表他的革命论。开首那句话是："所有过去以迄现在社会的历史，都是阶级斗争史"，这乃是他的历史哲学，即说明过去以迄现在社会的理论。结尾一句说："全世界的无产阶级们，联合起来！"并"有意地参加目前正在进行着的社会转型之史的过程。"[60]这显然地是他革命理论的核心。所以，辩证唯物论的主要及究极目的，乃在解释历史和变革社会。它研究的范围是过去的、现在的和未来的人类社会。

在这个对于人类社会的一贯学说中，历史观是革命论的基础。马克思派先有其自己对于历史的看法，然后再推演出他们的革命哲学。若无前者,则革命行动等于盲动;若无后者,则历史观等于死的过去观。将此二者连接起来,辩证唯物论对于过去、现在和未来的人类社会之间,有一个联络的解释。历史所以有意义,仅因为它能告诉我们一些过去的故事;亦因为它能影响我们。而社会活动,亦必系洞察过去的结果,然后才会是合理的活动。历史观与革命论两者是互相关联的。

(二) 马克思辩证唯物论中“唯物论”一词的特殊意义

关于唯物论一词在马克思哲学中的意义与传统哲学中唯物论的不同,前人已有论及者。考茨基(K. Kautsky)说过:“那是真的,辩证唯物论乃是自有其特征的唯物论,与自然科学的唯物论,很不相同。”[61]他又说:“很多朋友因此希望用一个别的字来代替唯物论(materialism)一词,庶可避免误会。”[62]我们固然知道,马克思并未像孟德斯鸠(Montesquieu)一样地说:“我的思想是新的,所以为了表达我的意思,我应该另用一新字,或对旧名词加以新的意义”;[63]但马克思必须在此二法中,任择其一:即或另觅一新字或改变旧名词的含义,因为他的思想是新的。事实上,马克思采取了后一种办法。而这个旧名词,便是他辩证唯物论中的“唯物论”一字。

马克思给予这旧名词“唯物论”的新意义,可归结如下:

一、用亚里士多德的话说:形上学是研究宇宙之“究极的或第一原因”的,也可以说是研究宇宙之究极的或第一实在或本体的。马克思的唯物论乃在追求社会发展的“动的原因”或决定的因素;它并不研究抽象的宇宙之究极的原因。二、形上学中所认为宇宙究极实在或本体的“物”一概念,是一个单纯的概念。根据莱伯尼兹的意见，所谓“单纯”即“不可分”之谓。[64]反之，马克思哲学中之“物”一字是指生产方法，它根本是一件社会事实：其中包括许多成分。形上学的唯物论可以说：“宇宙之究极的或第一的原因，实在，或本体是X（‘物’或‘心’）。”此中之X即为一单纯的、纯粹的及抽象的概念。而马克思的唯物论则只能说：“人类社会发展之动因或决定的因素是‘XRYRZ’（即‘生产方法’）。”此为一由X，Y，Z发生关系R的关系体，而不是一单纯的东西。因为形上学仅是一种抽象的定义问题，故形上学的唯物论可以设定一个单纯、纯粹、固定及究极的宇宙原因；这种设定是无法证实的。马克思研究人类社会的发展，所以他只把此种名词，如物、唯物论等，当作符号，用以代表社会发展的动因。这些名词在马克思的学说中并不代表单纯、纯粹的概念；其理由很简单：就是因为它们在马克思学说中所代表的实际物事，并不是单纯的和纯粹的。

也正是为了这种原因，我们不应该用批评形上学的标准，来批评马克思的“唯物论”。例如有人说，马克思的唯物史观或唯物论中之“物”既不是一元的（monistic），也不是纯粹唯物的（purely materialistic）。[65]因为他所谓“物”即生产方法，而生产方法中却包括许多不同的因素，所以当然不是一元的。[66]又因为在此诸因素中，有具目的的劳动；既有目的，自然就有意识的成分在内，因此它亦不是纯粹唯物的。实则“生产方法”一概念，固然不是一元的，也不是纯粹唯物的。

但这并不是唯物史观或辩证唯物论的缺点。何以呢？因为所谓“纯粹唯物的”及“一元的”等名词，都是批评形上学的标准，并不是批评社会学说的标准。此两种学说根本不一样，所以不能用同一的尺度来批评。形上学是推求宇宙之究极原因或第一原因的。而马克思的社会学说则探究决定人类社会的存在及其发展的动因。形上学中的名词,如心、物等等,没有相关事实,所以它对于心、物等概念,可以尽量求其单纯或一元。马克思的社会学说中之生产方法一概念,则必须符合其相关事实。换言之,即实际存在于社会中的生产方法既然是个复杂的活动的整体,则马克思自然不应该勉强把它界定成为一元的或纯粹唯物的。只有这样,唯物史观才能符合社会的实际情形,因此才能解释社会。否则,那便是不切实际的空洞的学说了。

然而,这并不是说马克思的唯物论不能用任何标准来批评。我们认为合理而本分的批评标准,应该是:一、看它的解释是否与事实相合;二、看它在历史的进程中产生了什么样的效果。当然,此二者都是实际的标准,而且近于科学上的证实(verification)。但它们却应该是实际的,因为马克思的唯物论即是研究人类之实际活动的。

注　释

①本章题目中之“玄学”一词,在书中皆改称“形上学”;都是 Metaphysics 的译名。

②马克思和恩格斯二人,都用过“形上学的思考方法”一词。近代的马克思派尤常用之。但近代作者既不知此名词的确切意义,也不知其渊源所自。就我们所知:此名词乃是马克思自黑格尔的《小逻辑学》一书中引用来的。黑格尔在该书的“思想对于外界性的态度”一章中,曾讨论过“旧形上学的思考方法”。他曾说明此种思考方法的特征如下:“此形上学系统,把思想的法则与形式,当作了物事的基本法则与形式。他以为对一物事加以思考,便是发现该物事之基本性质的方法。”“不做预先的研究,它便采用了抽象的思想范畴,而把它们当作了真理的表词”。“旧形上学系统的思考是有限的。它整个的思考方式都受范围所规定,并相信此诸范畴的限定是永恒固定不移的”。“借现在的讨论,我们一觇整个形上学的

思考方法，即可发现其主要特征乃在：以抽象的同一性为其原则，而用理解之抽象及有限的范畴，去了解理性的对象”。（Wallace，*The Logic of Hegel*，Tr. pp. 60–75）由上所引各段黑格尔的话中，可知形上学的思考方法有三种特点：一、以抽象的同一性为其原则，并企图用有限的悟解范畴，去理解理性的对象。亦即，以创造抽象的范畴为理解外物的方法。二、认为“范畴的限际是永久固定的”。三、“相信抽象的思想范畴”是“真理的表词”。亦即，相信“对某一物事加以思考，便是寻求该物事的本质的方法”。这三点正与马克思所指出的形上学思考方法的特征相合。我们再以马克思所受黑格尔深切的影响一事来证，便可以断定：“形上学的思考方法”一概念，乃是马克思由黑格尔的著作中得来的。黑格尔虽然也批评形上学的思考方法，但马克思认为黑格尔的思考方法，也有几分形上学思考方法的味道。关于此点，可看马克思的“On Hegel's Concrete Universal”，美国 S. Hook 译，见所著 *From Hegel To Marx* 一书。

③马克思批评普鲁东的“经济的形上学方法”，他自然也同时批评了形上学的思考方法。因为，马克思认为：“Proudhon is another Dr. Quesnay. He is the Quesnay of the Metaphysics of Political Economy.”（See Poverty of Philosophy，p. 87. M.）

④Marx，*The Poverty of Philosophy*，p. 20.

⑤Ibid.

⑥Ibid.，p. 90.

⑦Ibid.

⑧Marx，Letter to Annenkov，Boussels，28th. Dec. 1846.

⑨Ibid.

⑩Ibid.

⑪Ibid.

⑫Marx，*The Poverty of Philosophy*，p. 89.（M. L. Ed.）

⑬Ibid.，p. 88.

⑭Ibid.

⑮Ibid.

⑯Ibid.

⑰Ibid.，p. 92.

⑱Marx，Letter to P. V. Annenkov，Boussels，28th. Dec. 1846.

⑲Marx，*Capital*，Vol. I，p. 113.（Chicago）

⑳Marx, *The Poverty of Philosophy*, p. 88. (M. L. Ed.)

㉑Marx, Letter to P. V. Annenkov, Boussels, 28th. Dec. 1846.

㉒Ibid.

㉓Marx, *The Poverty of Philosophy*, p. 93. (M. L. Ed.)

㉔Ibid.

㉕Marx, *Capital*, Vol. I, p. 873. Eden's Tr.

㉖Ibid., p. 872.

㉗Marx, *The Poverty of Philosophy*, p. 168. (M. L. Ed.)

㉘Ibid., p. 93.

㉙Ibid., p. 94.

㉚Ibid., p. 106.

㉛Ibid., p. 116.

㉜Marx, *Capital*, Vol. III, p. 24, Engels' Preface.

㉝列举指出费尔巴哈的唯物论是形上学的,因为它是"非历史的"或"非辩证的"。(The Teaching of Karl Marx, p. 123)但这并不能使我们清楚地了解:何以既为形上的便是非历史的或非辩证的,亦即在"X 是形上学的意即是非历史的或非辩证的"一命题中,存在着一个未证明的关系。我们在此处即想对此关系加以分析。亦即:分析形上学的 X 与历史的或辩证的 X 之相互排斥性。

㉞美国 S. Hook 认为:Wirklichkeit,一字与 truth 相近。他在引证了第二条论纲之后,说:"Marx, here equates the real with the true, the unreal with the false."(see From Hegel To Marx, pp. 281–282)假如 Hook 君不想把马克思的理论与 John Dewey 的工具主义相混(如 Eastman 在其所著 *Last Stand of Marxism* 一书中所言者),则无疑地,他在解释这两个字的字意上,做了个大胆而危险的假定。这种态度是不合乎历史考证的常规的。我认为:仍然把 Wirklichkeit 一字照字书中的解释,即解做 reality, real existence,较为妥当。

㉟无疑地,马克思的看法和近代逻辑的实证主义(Logical Posksitivism)所提供之反形上学理论,十分相近。参看 R. Carnap, *Philosophy and Logical Syntax*, pp. 9–22; *Logical Syntax of Language*, pp. 177–281。

㊱James, W., *Pragmatism*, p. 45 (1907).

㊲Marx, *Die heilige Familie*, Cf. *Marx-Engels Gesamtausgabe*, Abt. I, Bd. 3, p. 303.

㊳Marx, *Theses on Feuerbach*: *Die deutsche Ideologie*, Cf. Marx-Engels Gesamtausgabe, Abt. I, Bd. 5, p. 24.

㊴Marx, Letter to Ruge, 13th. Mar. 1813. Cf. *Marx-Engels Gesamtausgabe*, Abt. I, Bd. 1, 2nd halband. p. 308. 我愿在此解释一下罗素对马克思反形上学态度的误会。罗素在 *Freedom and Organisation* 论辩证唯物论一章中，曾批评马克思说："相信形上学和实际物事有关的信念，我认为是缺乏逻辑能力所致。"(p. 226)罗素之意似谓：马克思相信形上学与实际物事有关，而此信念是错误的，是缺乏逻辑能力来区别抽象的形上学与具体的实际物事所致。此处我们要注意：马克思并没有相信形上学与实际物事"有"关系；他只相信：假如形上学若想变成一正确的研究，它便和实际物事"必有"关系。相信"X 有 P 性质"是一件事；相信"X 必有 P 性质，假如它能变成一真确的研究"又是一件事。在事实上，即使一初学哲学者亦知：形上学和实际物事"没有"关系。马克思对于形上学的知识我想总不会比初学哲学者还坏吧？当然，罗素仍可说：相信形上学若想变成真确的研究便和实际物事"必有"关系，也是错误的见解。但这样，罗素便须拿出新的论据了。实则，照本章所证明者：形上学和马克思的哲学不但根本不同，并且是互相排斥的。

㊵Marx, Last Thesis on Feuerbach.

㊶*Marx-Engels Gesamtausgabe*, Abt. I, Bd. 5, S. 32.

㊷Russell. B., Philosophy in the 20th Century, Listener, Oct. 14, 1936.

㊸Marx, Letter to Schweitzer, London, Jan. 1835.

㊹Marx, Letter to Engels, Aug. 9th. 1862.

㊺*Marx*, *Marx-Engels Gesamtausgabe*, Abt. I, Bd. 3, p. 303.

㊻Ibid.

㊼Moore, G. E., *Principia Ethica*, pp. 110–113.

㊽见㊴。

㊾见㊷。

㊿见第一章。

51Hegel, *The Logic of Hegel*, Tr. by Wallace, p. 61.

52见㊷。

53见第一章。

54Engels, *Socialism*: *Utopian & Scientific*, p. 34.

55特别是在 *Anti-Dühring* 一书中。

56Engels, Speech on the Death of Marx, Cf. *Karl Marx*, p. 531. English Tr.

㊼Marx, Letter to Lassalle, London, 16th. Jan. 1861.

㊽Marx, Letter to Engels, London, 9th. Dec., 1860.

㊾Marx, Letter to Weydemeyers, London, 5th. Mar. 1858.

㊿Marx, *Herr Vogt*, 1860.

(61)Kautsky, *Ethics & Materialist Conception of History*, p. 118.

(62)Ibid.

(63)Montesguieu, *Spirit of Laws*, p. XLVII. (London 1914)

(64)Leibnitz, *Monadology*, Cf. *Philosophical Writings*, p. 3.

(65)Bober, M., *Karl Marx's Interpretation of History*, pp. 291-330.

(66)美国 S. Hook 由于辩证唯物论因非"一元的"而被攻击,乃为之解释云:"Monism is a highly ambiguous term, it may mean..." (See his *Towards the Understanding of Marx*, pp. 150-162)我倒认为:Monistic 一字的意义并不含混,它是形上学中常用的名词;其意义在哲学辞典中,也有明确之规定。我和 Hook 的用意是一样的:即都在证明用 Monistic 一字来批评马克思学说的不当。但是我们的理由,则大不相同。

第三章　唯物史观考释

一　引论:反形上学的积极系统

在前一章中,我们已经知道:马克思的学说是反形上学的;并且我们曾经说明:他的学说也自成另外一个系统。马克思对于仅仅反形上学与创立新的反形上学的思想系统,是区别得很清楚的。他曾经说过:"除了对形上学的消极反驳外……还需要一个积极的,反形上学的系统(a positive anti-metaphysical system)。"①事实上,建立这个积极的反形上学的系统的,就是马克思自己。他这个学说系统普通叫作"辩证唯物论"或"历史的唯物论"。②这种学说,一方面,是一种历史观;另一方面,是一种革命论。本章先讲历史的唯物论或唯物史观;下一章再讲马克思的革命理论。

马克思的唯物史观,完成于1844至1848③之间,到现在已经九十余年了。在此悠长的时期中,事实上,各国的劳工运动,俄国的革命,都和它有密切的关系。在理论上,唯物史观也会引起激烈的争辩。对于唯物史观在事实方面的影响,本文不想讨论。就理论方面说,各国赞成唯物史观者,固然每年都有若干新著,阐明马克思学说的真谛。而反对他的学者,也时刻在指摘其缺陷;以期推翻马克思的系统。然而唯物史观的影响尽管大，它所引起的争论也尽管激烈；可是它本身仍然有些基本问题，至今还没有人提出；或者虽然提出，而没有圆满的解答。④本文目的即在提出几个新的问题，并且贡献几种新的解释。我们的方法，一方面是历史的，另方面是分析的。因为用历史的方法，所以我们多征引马克思的原话，而不致流于空疏。因为用分析的方法，所以我们要推求原话含义，以期得到新的解释。

二　唯物史观的考证与解释

我们要想考证及解释唯物史观的意义，必须先知道它的主要命题。所谓主要命题就是用一句话把唯物史观所用的重要名词，全都表示出来。然后我们再就此主要命题，加以考释。根据马克思的重要著作，⑤我们认为下面一命题，乃是唯物史观的主要命题："在社会的发展过程中，人类物质生活的生产方法（即'下层基础'），必然地决定其他社会上层建筑（如政治、道德、法律、宗教、哲学、美术等）的一般的性质。"这个命题不但可以代表唯物史观的中心思想；并且其中的名词，如"生产方法"、"下层基础"、"上层建筑"、"决定"、"一般的性质"、"必然地"等，都见于《政治经济学批判》一书的序文中。我们即根据此命题，加以分析。一、我们要讨论"生产方法"一名词所产生的问题，以及在唯物史观中所以占重要地位的理由。二、我们要解释"决定"、"一般的性质"、"必然地"等名词的意义。明白了上述两点，我们便可以说已经了解唯物史观的主要意义了。

(一)“生产方法”考释

生产方法是唯物史观中之所谓“物”。它是上述命题中最重要的一个概念,它所发生的问题也比较多。但从来研究或批判唯物史观的人,对于此却很少注意。以下我们把生产方法一概念所发生的问题,逐项提出,并且加以讨论。

第一,生产方法和生产诸力有何不同?由构成的因素说,马克思认为在任何一种生产方法(mode of production)中,都包括三种因素。即有目的的劳动(purposive labour),原料,和工具。⑥工具和原料二者又合称为生产手段(means of production)。⑦同样,由构成的因素讲,生产诸力(forces of production)主要也有三种因素。试举例明之,当马克思讲到在资本主义制度下的劳动者时,他说:“他的存在,除了那个单纯的生产力(a simple production force)之外,没有其他价值。”⑧又说:“我们可知:由合作及分工所产生的生产诸力,是不费资本分文的。它们都是天然的生产诸力。”⑨由此可见马克思把劳动视为一种生产力。马克思又承认原料和工具也是生产力。他说:“生产手段(著者按:包括原料和工具)集中在少数人手里,这样,它们便不是直接劳动者的财产,而变成了社会的生产诸力。”⑩又说:“机器只是一种生产力。”⑪由上可见工具和原料也是生产诸力。我们因此可知,举凡生产方法之包括的因素,也都是生产诸力所包括的主要成分了。我们在这里自然不免要产生一个问题:即生产方法和生产诸力,究竟有什么不同呢?如果两者相同,何以马克思用此两名词,徒然混淆。如果不同,那么不同究竟在哪里呢?

仔细分析起来,生产方法和生产诸力是不同的。美国的鲍贝(M. Bober)教授认为:生产方法是一种“活的单位”(living unit),一个“有机的整体”(organic whole);⑫而生产诸力只是包括劳动力、工具及原料诸力的项目之总称。这个见解大体上是对的。但是鲍贝教授只有这种说法,而没有在马克思自己著作中找到充分的证据。所以鲍贝教授的判断,只能算是臆度的推断。并且因为没有充分的证据,所以他也不能发现此种区别的重大意义。我们固然也认为鲍贝教授的说法是对的;但我们有充分的证据。以下我们先由马克思自己的著作中搜寻材料,来证实这种说法的正确;然后再由生产方法一词中“方法”(Die Weise)一字本身,来证明何以生产方法是活动的东西。

在马克思自己的著作中,我们可以找到证据:证明当什么时候,马克思把上述诸因素叫作生产诸力;又当什么时候,把它们叫作生产方法。一、我们知道马克思认为劳动力和“在运动中的劳动力”(labour-power in motion, in use, in its exercise)是不同的。他说:“人类在运动中的劳动力创造使用价值。”⑬又说:“资本家购买劳动力是为了使用它;在使用中的劳动力(labour-power in use)即是劳动(labour)本身。用工作(working)劳动总由其从前的潜存状态,变成真实的,即变成了动作中的劳动力(labour-power in action)。”⑭又说:“劳动力只有在运动中,才会变成实在(reality);而只有用工作,它总会把它自己置于动作的状态之中。”⑮以上都可证明:马克思明显地承认,未参加生产劳动之静止的劳动力,和参加生产工作之在运动中的劳动力,是不同的。二、马克思又认为一机器本身,和使用此机器的方法是不同的。他说:“机器被我们利用的方法(the way in which machinery utilized),和机器本身是完全不同的。”⑯又说:“一个未从事劳动目的的机器,是无用的。”⑰可见马克思对于工具也认为有两种状态:一种是未参加生产活动的静止状态;另一种是已参加生产工作的活动状态。三、关于原料马克思曾经和劳动及工具联在一起地说:原料不能变成商品,除非“活的劳动抓到这些东西(著者按:指工具和原料),并且由其死睡的(death-sleep)状态中惊醒,由其只是可能的使用价值,把它们变成真实的,有效的使用价值”。⑱可见原料如不被我们利用,便不会成为使用价值;亦即与生产过程无关。以上是马克思逐项承认劳动力、工具和原料三者有其动的状态,也有静止的状态的证据。

马克思又把上述三者联合地说:为了组成一种生产方法,“只有这些因素联络在一起,才会有效”。⑲所谓它们“联络”,就是说它们在动作中;不在动作中怎么能够联络呢?由此可见马克思认为:生产方法中的劳动力、工具和原料乃是在联合地运动中的劳动力、工具和原料。只有上述诸因素联合地运动起来,亦即劳动力开始工作,拿起工具,改造原料,然后才能制造物品,才能自然地形成一种生产方法。反之,生产诸力则是在所谓的“死睡”状态中的劳动力、工具和原料。它们对于制造物品说,是无效的;因为它们没有被人们应用起来。也就是说,死睡状态中的生产力,不能发挥作用,不能制造使用价值;除非活动的劳动力来应用工具,改造原料。但劳动力拿起工具,改造原料,便是在动的状态中的劳动力、工具和原料了。既然是在动的状态中,亦即马克思所谓它们在“联络”起来了。它们在联络的动的过程中,它们自然地就形成了一种生产方法。由此可见,生产方法与生产诸力,在构成的因素一点上说,虽然相同;但却有一动一静之别。此区别之意义非常重大,容后言之。

再就生产方法(Die Productions Weise)中之方法(Die Weise)一字,加以证明。Die Weise 英译作 mode,中译初从日译作形态,比较切合原意。后译方法便有毛病,德文和英译都可以说表示一种形成物事的方法或动态(The way in which something is done)。我们要知道:只有活的东西才有形态。死的东西,虽可有形,然而不会有态:因为态根本是动的。例如,说某小姐的态度大方,某先生的态度拘谨,这大方和拘谨的态度,都是活人的现象。人死了便只可有形,而不能有态。至于物本是死的东西,如桌子,它更不能有态。由此亦可见生产方法乃是一种动的东西,可以由其内部因素组合之不同,表示出来不同的形态或样子的活东西。这些不同的形态或样子,即不同的生产形态或方法。例如,古代以生产劳动为基本的生产方法,封建时代的生产方法,近代资本主义的生产方法等。这都是生产形态或方法所表现出来的不同之处,因其内部因素的组合分配的不同,而产生的不同。

在文字方面还有一点可讲。生产方法乃是一个集合名词(collective term),联合地指还在活动中的生产诸力。而生产诸力乃是分别地(distributively)直接地指述上述三种因素。我们认为生产方法是一个集合名词:因为马克思永远把生产方法用作单数的形式。而当他把它用作单数形式的时候,他的意思即指在某一个历史时期中活动着的生产诸力所表现的特殊形态。自然,马克思也可以用"生产诸方法"(modes of production)一名词。但这并不是分别地指述以上三种因素,而是指述不同的以上三种因素之不同的结合了。例如,中世的生产方法和资本主义的生产方法,便是不同的生产"诸"方法。而马克思在指以上三种静止的因素的时候,他一向是用生产诸力一名词。固然,他也可以用"生产力"(force of production）一词。如说劳动力是一种生产力，工具也是一种生产力。但这便是指述以上三者中之任何一个，而不是同时分别指述所有的以上三种因素了。惟其是静止的可分的，所以马克思总用生产诸力一名词。惟其是动的不可分的整体，所以他总用生产方法这个集合名词。

我们总结以上所举证据，可以断定：马克思认为生产诸力是死的，未实际参加生产工作的劳动力、工具和原料；而生产方法是指参加生产过程的劳动力、工具和原料所表现出来的样子或形态。

第二，何以马克思认为生产方法，而非生产诸力，是决定人类社会发展的动因？由上述可知生产方法和生产诸力的区别。我们在这里要说明：一、何以马克思认为生产方法是决定人类历史或社会发展的动因；二、死的静止状态中的生产诸力只能限制或影响生产方法的发展，却不能做决定生产方法发展的动因。

先讲前一点。人类社会的发展是一个动的过程。抛开形上学不谈，就经验科学的立场讲，只有一个自身是动的东西总会做其他运动的动因（motive cause）。因为一个根本是死的东西便不会产生一个运动。假如说生产诸力是支配人类社会发展的动因，便等于说一些静止的死的因素做了活的人类社会发展的原动力。这显然是不合理的。根本言之，决定人类历史的动因，只是人类自己的活动。试问没有人类自己的活动，还有什么力量来推动历史的前进与社会的发展呢？马克思所谓："人类做成了他们自己的历史"，[20]就是这种意思。但是人类自己的活动中最基本的活动，乃是维持其物质生存的活动。对于社会说，一社会维持其物质存在的方法，就是那个社会的生产方法。马克思所言："物质生活中的生产方法决定其他社会上层建筑的一般性质"，也即是说：生产方法是决定社会发展的动因。何以说“物质生活中的生产方法”呢？什么叫作“物质生活”呢？物质生活，用马克思的话说，就是生活资料（Lebensmittel）所支持的生活。马克思说：“在生产其生活资料的过程中，人们即间接地生产了他们实际的物质生活本身”（“indem die Menschen ihre lebensmittel produzieren, produzieren die indirect ihr materialles Leben selbst”）。[21]一社会取得其生存资料的方法，就是它的生产方法（Die Produktionsweise）。一个人取得其生活资料的方法，就是他的生活方法（Die Lebensweise）。[22]马克思认为：任何社会中的生产方法，都是那个社会发展的真实基础。如资本主义的生产方法，便是整个资本主义的社会的基础。因为该“社会”之所以变成“资本主义的”社会，完全是因为先有了资本主义的生产方法。也就是说：这个社会之资本主义的性质，乃是由资本主义的生产方法所“决定”的。在此种意义上，马克思认为生产方法是决定社会发展的动因。生产方法根本是变动的。不但由古代，经中古，到近世的生产方法各个不同，即在任何一时期中的任何一种生产方法之本身，也是在动的。它要不动，就没有取得生活资料的方法，没有物质的生活了。一社会没有了物质生存，即等于其社会不存在。一个人没有了物质生活，即等于其人不存在。所以在马克思看来，唯有当作人群维持生活来理解之动的生产方法，就是决定社会发展的动因。至于生产诸力如果放在那里不用，只是在所谓“死睡”状态中的东西，它们根本和人类社会的发展，不发生积极的关系。必须劳动力拿起来工具，改造原料，就会构成生产过程，就会产生使用价值，总会影响人类的生活即社会的发展。但这已经不是静止的生产诸力，而是活动起来的生产诸力了。活动起来的生产诸力，自己即形成了一种人类生产其生活资料的生产方法。

那么,生产诸力能不能决定生产方法呢?我们在此不能不提到罗素(B. Russel)反驳唯物史观的意见。罗素说:"……生产方法在马克思看来是初基的原因(prime cause),但生产方法时时在变化的理由,马克思却毫无解释。事实上,生产方法的变化,主要地是因为知识的原因,那即是说,因为科学上的发现和发明。"㉓关于此点,我们认为马克思并非"毫无解释"。马克思认为科学的发现及发明,是一种之生产力。他说:科学工作所产生的"只是发现及发明"。㉔又说:"在近代工业中,已完成了把科学当作一种生产力的工作。"㉕例如瓦特(Watt)的蒸汽机,是一科学发明,它即是一种生产力。因此罗素的话实际上包括两点。一、生产方法时时因生产力的变化而改变,所以生产方法不是决定人类社会发展的基因。二、当作生产力看的科学发明,是人类知识的产果,所以知识乃是决定人类社会发展的基本原因。

关于前一点我们须知:马克思自己也未尝不知道生产方法可以因获得新的生产力,特别是工具,而发生变化。比如他说:"当获得新的生产诸力时,人们改变了它们的生产方法。"㉖又说:"在取得新的生产诸力的过程中,人们改变了他们的生产方法。"㉗我们用近代工业发展史来证明,资本主义生产方法的发生,显然地和机器的发明有深切的关系。虽然如此,我们认为有两个理由,仍然不能说整个生产方法的性质,受生产诸力所决定。就一方面说,无论人类获得什么新的生产力,假如不使用它们,它们即与生产方法无关。例如纺织机是一个科学发明,也是一个生产力,假如发明了以后我们不使用它织布,把它放在那里不用,它便与生产方法毫无关系。反之,如果应用它来织布,那么,它并不是决定了生产方法,而是其本身即在形成着生产方法的一环。因为上面已经证明了:动的被用的生产诸力,即自然会形成一种生产方法。就另一方面说,有某一同样的生产力,不一定产生同样的生产方法。这也可以证明,生产力不能决定整个生产方法的性质。例如,资本主义的生产用机器,社会主义的生产也用机器;然而此两种生产方法的性质,却并不一样。可见生产方法的不同,不仅仅是技术上的不同,亦即不仅仅是不同的生产诸力的问题。另一方面,也有分配上的不同,亦即此不同的生产诸力之“怎样联合”的问题。关于后一点,马克思曾说:“这种联合(著者按:指劳动力、工具及原料的联合)的特殊方法(Die besondere Art und Weise),乃是区分不同的经济时期的准绳”。[28]这种所谓“特殊的联合方法”,即包括着分配的问题。马克思认为生产方法和分配方法,是不能分开的。[29]例如我们说资本主义的生产方法,我们一方面知道:它是一种机器生产。另方面,但是较重要的一方面,我们也知道:在此种生产方法之下,直接生产者之劳动者,不能利用他劳动的产果。他的生活只有用出卖劳动力来维持;而不参加劳动过程的资本家,则可享用,并领有生产品。此即表示:在资本主义生产方法中,生产手段(包括生产工具和原料)和劳动力三者的联合,是一种特殊的联合方法。亦即资本家领有生产手段及生产品。劳动者和它们,则没有领有的关系。(此即马克思所谓“the separation of labourer from his means of production”)[30]可见所谓生产方法的不同,受分配关系的影响甚大。而死的生产力,如机器,亦即科学发明,并不一定能改变生产方法。因为改变后者,也需要分配关系的改变;此种改变非单纯的科学发明所可做到。所以罗素认为科学发现和发明能改变生产方法的见解,依照马克思的理论,是讲不通的。

关于科学发明是人类知识的成果,所以人类的知识乃是决定社会发展的基因一点，我们须注意：马克思所探求的是历史的动因，不是基因。基因可以是静的，而动因本身非是动的不可。因为自己不动，不能使另外一个东西动。假如我们是在研究人类历史发展的，那么，智慧也不能做人类历史发展的动因，何以呢？因为智慧如无具体表现，亦即空洞的东西，不会影响人类社会的发展。如果它有具体的表现，如罗素所说，表现于科学发现和发明之中，则上面一段话已经证明未经应用的科学发明，不能改变生产方法的性质了。因此它也就不会是决定历史的最后动因了。决定人类历史发展的动因，在马克思看来，只有当作人类自己活动理解的物质生活中活的生产方法。其他科学发明，亦包括人类的智慧：但却是在活动中的科学发明，具体表现的智慧，而非弃置不用的发明，未经表现的智慧。至于怎样决定，决定到什么程度，将详言之。

（二）解释“决定”、“一般的性质”及“必然地”诸名词的意义

我们既明白了生产方法一名词的意义，再进一步分析和考虑上述唯物史观基本命题中之其他名词。

第一，什么叫作“决定”（bedingt 英译 determines）？决定一词在唯物史观的基本命题中非常重要。许多学者所以反对唯物史观，都由于他们自己对于决定一词，有所误解。其实决定一词的意义，本来非常简单，在上述基本命题中，生产方法是决定者，其他上层建筑，是被决定者。此两者间之关系，马克思用以下的话来描写：“随着经济基础的变化，整个庞大的上层建筑，也很快地变形了。”㉛马克思在这里用“随着变”（change with）一词，代替决定一

名词。他的意思当然就是说：后者可以用前者来界定。因此原命题所谓社会下层基础决定其上层建筑云者，即是说：只要社会下层基础发生变化，则上层建筑即随着变化。例如，有某种社会性质的生产方法，便有某种社会性质的政治、道德、哲学、美术等，这就是说，后者是随着生产方法变化的。

但是，有许多反对甚或赞成唯物史观的学者，把决定的含义，释为“创造”(create)。例如十几年前陈独秀先生在《科学与人生观论战》的序文中，就有这种意思。他以为经济是父母，其他政治、教育、道德、哲学、美术等是子女。这便是把决定一词，看成创造的意思。其实，决定和创造的意义，是显然不同的。说C决定P，并不一定说P是C创造出来的。用近代逻辑中的术语来讲，创造一概念需要充足原因(sufficient cause)。因为创生一件东西，必须每个条件具备，缺一不可。譬如父母创造子女，父母即为此创造过程的充足原因。所谓充足云者，就是说不再需要其他原因了。至于决定一概念，则只需必要原因(necessary cause)。亦即是说，被决定者需要决定者为其必要原因。如空气对于动物的生命，便是必要原因，而非充足原因。何以呢？因为动物固然必须有空气才能生存；但是只有空气，它仍然不能生存。所以说要有生命，必要空气；但有了空气，生存的要素还不够用。它必还需要食物、饮水、居处等其他事项。我们试用符号来表明唯物史观中决定一词的意义。以M代表生产方法，c代表资本主义的，P，Q，R代表政治、法律、道德等。那么，唯物史观只是说：一、若有P，Q，R一定得先有M；二、若有Pc，Qc，Rc一定得先有Mc。前一项是说人类社会必须先维持其物质的存在，然后才能有政治、法律、道德等生活。后一项是说，若有资本主义性质的政治、法律、道德等现象，一定先已经有了资本主义的生产方法。但这都并不是说政治、法律、道德等现象,都是生产方法所创造的。他们都是根据人性中的特殊需要而产生的。他们的产生,只有其特殊的原因。决定一词既然不等于创造,则一切不必要的误解,自然会消除了。

第二,什么叫作"一般的性质"(general character)?关于物质生活中的生产方法决定其他社会上层建筑之"一般的性质"一点,我们须注意德文的原句。这句话见于《政治经济学批判》的序文中。原句云:"Die Produktionsweise des materiellen Lebens bedingt den sozialen, politischen und deistigen Lebensprozess uberhaupt."㉜其中 uberhaupt 一字乃是一个副词,即英文 generally, in general 之意。英译者 Stone 君把上述这句话译成:"The mode of production in material life determines the general character of the social, political and spiritual processes of life."㉝我们认为 uberhaupt 一字,在马克思的原著中有两种可能的意义。一、是说此种决定是一般地,即遍及于所有上层社会建筑的。二、是说此种决定的影响所及,乃是及于各个上层建筑之一般的性质。前一意是原文字面上的意义。后一意是英译所侧重的意义。我们现在要知道:马克思的原意绝不仅是前一意义,而是兼有以上两种意义。因为前一意义,实际上是很空洞的。亦即它只说此种决定是遍及于一切上层建筑的;但并没有说出:是决定上层建筑之一般的性质,还是决定它们之特殊的性质?前一意当然是有的:因为整个唯物史观的轮廓,就是说,所有的社会上层建筑,都普遍地要受生产方法所决定。后一意也是有的:因为马克思常说,假定有某一种生产方法,便有某一种上层的建筑。㉞可见他也注意到决定上层建筑的什么性质的问题。

此问题解决以后,我们便要进一步问:何以说此决定只能决定上层建筑之一般的性质呢？关于此点，我们仍用上面的符号来说明。唯物史观是说：如果有了 Mc，则建筑在它上面的 P，Q，R 必然会变成 Pc，Qc，Rc。也就是说：如果有了资本主义的生产方法（Mc），则一切政治（P）、法律（Q）、道德（R）等都必然地会染上资本主义的（c）色彩。须知在 Pc，Qc，Rc 三者之中的 c，只是此三者的一般的性质，亦即它们所共有的性质。既然是共有的，当然就不是特殊的性质了。它们之特殊的性质，乃是它们之所以为它们的特征。如仍用符号来表示。则它们的特殊的性质乃是 P-ness，Q-ness 和 R-ness。对于法律、道德、宗教等其他制度说，政治之所以为政治，是政治的特殊性。对于政治、道德、法律等制度来说，宗教之所以为宗教，是宗教的特殊性。也就是说，在 Pc，Qc，Rc 中，c 是三者性质相同的性质，所以是一般的性质。而 P，Q，R 是各个不同的，所以 P-ness，Q-ness，R-ness 是它们各个的特殊性。

第三，何以说"必然地"（necessarily）决定呢？关于此点，我们须知：马克思认为这种决定关系是"不可避免的"（inescapable）。何以不可避免呢？这乃是一个事实问题，不是理论问题。所谓事实问题，就是说马克思认为这都是事物本身之内的法则（immanent laws of things）[35]或内在必然性（inner necessity）[36]的问题。马克思认为在个人的生活及人类的社会生活两种生存中，事实上必然地使有上述唯物史观主要命题所指述的那种情形。以下分别说明。

一则，把唯物史观应用到解释个人的社会活动时，其意即谓：个人的生活方法（Lebensweise，modo of life 或译生活形态）[37]"必然地"决定他的其他政治、宗教、道德等活动的一般的性质。从前有人认为唯物史观不能说明个人之社会的存在及其人生观[38]，其实是不对的。因为唯物史观既能解释社会的存在及其发展，它便也能说明个人的生存及其活动。所谓社会不过是集合个人而成的一群人;而所谓社会存在不过是一群人的生活而已。个人生活与社会存在之间,并没有不可填充的鸿沟。用唯物史观解释社会存在时,它的基本观念便是生产方法。用唯物史观说明个人生存时,它的根本观念为生活方法。此意马克思在《德意志意识形态》一书中,已有明白的表示,不过学者很少注意。我们现在即要问:何以说生活方法"必然地"决定个人其他政治、道德、宗教等活动呢?此点可分两个方面来说。自一方面言,其最简单的理由是:人本性(by nature)即"必须先"活着,然后才能谈到其他活动。也就是说,一个人必先保持一个"物质的生活",然后才能谈到其他活动。所谓物质的生活,即等于:用生活资料维持的生活;而所谓物质生活中的"生活方法",即等于:如何取得生活资料的方法(亦即 Lebensweises,等于"Die Weise in der die Mensehen ihre Lebenmittel Produzieren")。[39]因此,马克思主张:凡人必须先有一个物质的生活方法,即先有一个取得其生活资料的方法,然后才可以有政治、宗教、美术等活动及思想。因为没有取得生活资料的方法,即等于没有物质的生活。没有物质的生活,精神生活亦无所依靠,故即等于没有生活。没有生活,还能谈到什么其他活动呢!所以,先有一个特定的生活方法,即先保持一个物质的生活,乃是一件不可避免的事实,以及必然的事实。这必然性是和人性有关系的:因为人根本就是这样一种动物。美国已故的塞里格曼(Seligman)教授驳马克思说:人类的需要甚多,如美术的、哲学的、宗教的等等,何尝如马克思所说,只有经济的需要呢?[40]须知马克思只是在上述意义中看重了经济需要,并不是说只有经济需要。诚如拉斯基教授(Prof. Harold J. Laski)所言:"在人们活得舒服以前,他们必须先活着。"[41]试问:在人们没有取得生活资料的方法以前，亦即在他们不能维持生活以前，他们怎么能谈到宗教、美术、哲学、教育等活动呢？所以马克思的主张非常简单，即人必须先活着，亦即必须先有某一种取得生活资料的方法以维持其物质生活，然后才能谈到其他活动及思想。

自另一方面言，一个人不但必须先有一个取得其生活资料的方法，而且此取得生活资料方法的性质，亦即此物质生活的性质，也“必然地”要决定一个人的其他活动及思想的性质。例如一个工资劳动者，靠赚取工资为取得生活资料的方法，这即是他的物质生活的性质。他的行为，如参加罢工、加入工会等；他的思想，如相信社会主义，完全都受他的物质生活方法，即取得生活资料的方法，所决定。因为他有这样一个物质的生活方法，因为他用赚取工资为唯一的取得生活资料的方法，所以他必然地就有上述的行为及思想。因为那种性质的行为及思想，包括着他自身利益之可能的实现。反之，一个资本家则以攫取利润为维持其物质生存的方法，他的行为及思想，便恰好与工资劳动者相反。一般地说，资本家是要反对社会主义的，是要反对罢工的：因为社会主义的实行和罢工的行为，都包括着他自身利益的否定。不但行为，思想都必要受不同的物质生活方法，亦即不同的取得生活资料的方法，所限制；即一个人的希望，也是如此。为清楚起见，我们可以把希望分成三种。凡是人力所不能做到的希望，我们名之为幻想。人力所能办到的，叫作希望。虽为人力所能办到，但是有甲种物质生活的方法的人可以办到，而具有乙种物质生活方法的人则办不到；对于乙种人来说，此种希望即为奢望。例如，希望“白日飞升”、“海市蜃楼”这是人力所不能及的事情，无论资本家或劳动者，都办不到。我们抛开这种幻想不谈。但是坐汽车，住洋房，则是人力可及的事情。

此在资本家则是希望，并且由希望很容易地变成事实。在劳动者则为奢望，因为他的能力不能实现这些事实。这种“可以”实现，“不能”实现的主要关键，就因为他们的物质生活方法不同；亦即由于他们取得其生活资料的方法不同。如果工资劳动者能改用攫取利润为其取得生活资料的方法，当然从前对于他是奢望的东西，不能实现的东西，现在变成是可希望的东西，可实现的东西了。可是我们要知道：他既然改变了他取得生活资料的方法，他就已经变成资本家而不是劳动者了。其他希望也是如此。在此种意义上说，他们那对人生的看法，亦即其人生观，也因他们取得生活资料的方法不同而不同。希腊人有他们的人生观，现代人有现代人的人生观。两者的不同，原因自然很多。但必须有，而且很重要的一个原因，便是两个社会的物质存在乃是工钱劳动维持的。在同一时代中，一个贵族和一个奴隶的人生看法，也不相同。在另一个时代中，一个资本家和一个工资劳动者对于人生的看法，也不相同。在个人间此种不同，自然亦有心理遗传的关系，但自社会的观点言，最重要的乃是他们取得生活资料的方法不同。因为后者的不同，所以他们的社会行动、思想、希望都不同。因此，他们对于人生的看法，自然不同了。

二则，我们已经知道，把唯物史观应用到解释人类社会的发展，它的意思是说：在社会的发展过程中，该社会物质生存中的生产方法“必然地”决定其他上层建筑的一般性质。所谓一社会的存在便是一群人的生存。正如一个人需要维持其物质生活，需要有一个取得其生活资料的方法一样；一群人，一个社会，也需要维持其自己的物质生存的方法，需要有一个取得其生存资料的方法。任何社会的人都需要衣、食、住等项，亦即都需要生活的必需品。

制造和分配这些物品的主要方法，便是该社会之特殊的生产方法。此生产方法之特殊的性质，必然地决定该社会中之政治、法律、哲学、宗教等上层建筑的一般性质。

以政治上的事实为例。古代希腊的城邦是贵族执政，因此，他们必然地维持奴隶制度。这是为了什么呢？根本便因为维持城邦社会之物质存在的方法，是以奴隶劳动为基础的生产方法：不维持奴隶制度，贵族们便不会有他们的政治生活了。这是自然而然的事情。即伟大的思想家如亚里士多德，都不自觉地拥护奴隶制度。[42]马克思曾说：也许有人认为在希腊的社会中，政治决定一切，物质的生产方法并不重要；[43]他认为这是倒果为因的解释。马克思以为："……古代社会不能以政治维持生活(live on politics)，反之……古代社会所取得其生活资料的方法(the way in which, during the classical antiquity... the people gained a livelihood)，倒可以说明：何以在古代社会中政治……占重要地位。"[44]古代社会中政治占重要位置的原因，大体上是因为：当时社会有利用奴隶劳动为取得社会生存资料的生产方法。有了这种生产方法，所以贵族才能把握政权，并且享受优越的生活。一旦生产方法改变，贵族在政治上自然就会失势。所以，马克思认为在政治方面："每一种形式的生产，都创造其自己的政府形式"；[45]而国家性质的变迁，大体上可以用生产方法的变迁说明[46]。

法律也是如此。马克思认为："法律乃是物质的生产关系的产果"；[47]而且"每一种之生产方式都有其自己的法律关系"。[48]马克思曾经讽刺孟德斯究(Montesquieu)的《法意》(*Esprit des Lois*)一书说："法律的精神就是财产。"(L'esprit des Lois e'est la proprieite.)[49]在马克思看来国家既是一个阶级的工具，同时又是造法机关，则握有此工具的阶级，自然就要造出一些保护其本阶级利益的法律。近世资本主义国家法律的基本原则，便是承认资本主义的私有财产制度。这个基本原则是绝不允许推翻的。这种财产权利，在资本主义社会的法律中，被认为是一种平等的权利（equal right）。也就是说，任何人，只要他能取得财产，都可以领有私有财产。但马克思认为则仍然是一个资产阶级的权利（bourgeois right），其中已经以不平等（inequality）为前提了。[50]因为人类经济生活发展到资本主义的时期，劳动者已成了工资劳动者（wage labourer）。它们除了出卖劳动力赚取工资以维持生活之外，没有财产的可能。既然不能领有财产，则所谓财产权利的法律保障，对于他们便是毫无意义的。所以马克思认为：这种权利只是资产阶级所特享的权利。何以又说此种权利以不平等为前提呢？马克思认为，资本家与劳动者的分野，乃是一种社会经济的不平等。[51]亦即：劳动者以出卖自己的劳动力为收入的来源，资本家以剥削剩余劳动为收入的来源，这种对比是不公平的、不平等的。[52]资本主义社会中的法律，既以保护此种财产制度为出发点，所以在此种财产权利中，根本便包括着不平等。也就是说，此种权利先已认为社会的经济上的不公正不平等，是不成问题的事情了。在此种意义上，马克思认为：任何社会中的法律都不可避免地充满了阶级的偏见。[53]

哲学上也不能独立无倚地玄想，它是与“真实的生产发展过程”[54]密切联系着的。例如，亚里士多德的平等观念，便和希腊的奴隶制度有关系。[55]康德的《纯粹理性批判》一书，也忠实地反映着十八世纪末叶德意志的情形。[56]边沁是个“纯粹英国的现象”。[57]康德与边沁的物质背景是很不同的。康德的善意理论（The Doctrine of Good Will）代表德意志当时资产阶级之小的、地方的利益。边沁的功利说(Theory of Utility)则代表已在经济上发展了英国资产阶级的利益。用唯物史观来说明哲学,恩格斯也得到同样的结论。他说:霍布士(Hobbes)虽然是近代第一个唯物论者,但他却是个绝对主义者。他之所以是绝对主义者,乃因绝对君主制在当时的欧洲正值高潮,又因当时英国的绝对君主正开始与其人民对抗。洛克(Locke)无论在宗教方面或在政治方面,都可以说是一六八八阶级让步的产儿。英国的自然神教者(Deists,著者按:指 Locke,Toland 等)及其更坚决的继承者之法国唯物论者,乃是真正的资产阶级哲学家,也是法国革命甚至资产阶级革命的哲学家。德意志小资产阶级的利益,则有康德和黑格尔的学说为代表。[58]

艺术普通认为与社会之一般的发展无关,[59]事实上是不然的。马克思以希腊的艺术为例。他认为:希腊的艺术是与希腊的神话(mythology)有关系的。他说:"希腊的神话不仅是希腊艺术的武器厂,而是后者产生的唯一园地,这乃是人所共知的事实。那种形成希腊人的想象(imagination)及希腊艺术的,对自然及社会关系的看法,可能产生于自动机器、铁路、火车头以及电信的时代吗?……所有的神话只有在想象中,并且只有凭借着想象,来征服、支配以及形成自然界的力量;但当人们真的能支配自然界的力量时,它就消失了。……希腊的艺术先假定希腊神话的存在。亦即,其社会的性质甚至形式,都在一种特殊的幻想中,制造成一种不自觉地艺术的样式。那便是它的材料。……在一个排除对于自然之神话的解释的,排斥对于自然之神话态度的社会里,一个需要艺术家具有不受神话羁绊的想象的社会里,希腊的艺术是不会出现的。"[60]在这种意义上,马克思认为:希腊的艺术实际上是与某种的社会发展形式相关联着的。[61]

宗教也是与物质世界的利益分不开的。马克思曾说："宗教世界不过是真实世界的反映"。[62]"对于一个以商品生产为基础的社会而言……基督教，特别是在其布尔乔亚的发展阶段、新教、自然神论等，乃是最适合的宗教形式。……古代社会生产的机构，与布尔乔亚的社会相较，是简单及易明得多了。但这些生产机构或者建筑在个人之未成熟的发展上；他们还没有解脱在原始的部落社会中连结他和他的同伴的脐带；或者这种生产机构建立在直接的征服关系之上。这些生产机构，只有当劳动生产力的发展未超过低的社会阶段的时候，以及当人与人在物质生活方面的社会关系，人与自然的关系，相应地狭隘的时候，才会发生与存在。这种狭隘性是反映在古代对于自然的崇拜，并且也反映在当时流行的宗教的其他要素中了的"。[63]我们要细细研究一下宗教革命史，更可以发见经济与宗教的关系了。

观念、概念、范畴及所有其他的社会意识形态，都是随着社会的物质生活变化的。马克思说："那还是需要深的知识才会了解：人的观念、看法及概念，一言以蔽之，人的意识，随着其物质存在的条件中的，其社会关系中的，以及其社会生活中的变动而变化么？一部观念史，除了证明：当物质的生产变动的时候知识的生产也随着变化之外，还证明什么呢？"[64]这在马克思看来是很自然的，因为"按着其物质生产力而建立其社会关系的人们，也按着其社会关系制造了原理、观念及范畴。这样，则此诸观念，此诸范畴，便和它们所代表的诸关系一样，不会是永恒的了。它们乃是历史性的、过渡的产品"。[65]

这些上层建筑，都是人类社会存在的意识形态；它们之一般的性质是要受该社会的物质存在的性质所决定的。我们由此可知：

用唯物史观来说明社会，犹如用它来说明个人一样：在一方面，它主张社会必须先有一支持其自己物质存在的方法，亦即先保持其物质生存，然后才能谈到其他问题。在另一方面，这个支持整个社会存在的方法的性质，必然地决定其他政治、法律、道德等上层建筑的一般性质。马克思认为用这个观点，可以说明古代、中世以及近代社会的历史。古代有依靠奴隶的生产方法，其政治、道德、法律等等，必然地要染上此种生产方法的色彩。中世纪的政治、道德、法律等制度，也受其特殊的生产方法的影响。至于近世资本主义的社会，则更是因受资本主义生产方法的影响而产生的了。[66]

关于用生产方法解释社会，我们平常不免发生一个问题。此问题即：是否社会上层建筑，也可以同样地“决定”生产方法的“一般的性质”呢？这个问题可以有两种意思：一、是否 Pc 能把 Mc 改变成 Ms（此处 s 代表社会主义的）？二、是否 Ps 能把 Mc 决定到使其变成 Ms？假如此问题是第一种意思，则显然是不可能的。因为只要 P 变成了 Pc 的形式，它一定永远是保护，至少是维持，Mc：因为后者即是它本身的利益所在。现代代表资本家利益的政府，何以不能，并且不想，建立一种社会主义的生产方法，便可以说明此点。所谓和平的转变，根本是不可能的事情。在马克思看来，受资本家所支配的政府，是绝不会和平地放弃它的权力的。[67]一个 Pc 如果它想建设 Ms，即等于自掘坟墓。但这并不是说政治行动在任何意义上，都不能给此经济基础以任何影响。诚如恩格斯所言：政治行动显然地可以规定关税、税务[68]甚至于指定经济政策等。用这种行动，政治当然可以对经济基础的发展，加上一种力量。但此种力量必须不妨害此经济基础发展之一般的趋势。如果它妨害，它便不是 Pc 了。假如上述问题是第二种意思，则政治行动似乎能对经济基础有这样大的决定力量。但是我们在此却要注意：政治行动若果有此力量，则它必代表另一种经济制度的物质需要。它既然代表另一种经济制度的需要，就没有理由说：这是此政治行动的本身，决定着生产方法。反之，乃是该政治行动背后所代表之新的经济制度的需要，促成了 Ms 的实现。此种需要，照马克思的经济理论来讲，乃是在 Mc 发展到某一阶段时，所必有的内在矛盾。此种矛盾即所谓生产关系阻碍了生产诸力的发展。

根据以上对于唯物史观的考释，我们即可对它有个明确清楚的概念了。它是推求人类社会发展之动因的学说。这个动因就是当作人类活动理解的生产方法。唯有人类自己的活动才能推动人类历史的进展。但人类活动是多方面的；马克思认为：只有一个人或一社会取得其生活资料以维持其物质存在这一活动，是人类最基本的活动。必先有此活动，然后始可有其他活动。同时，此活动的性质，也必然地会影响其他活动之一般的性质。此取得生活资料的方法，即生产方法，就是唯物史观或历史的唯物论中之所谓“物”。[69]

注　释

①Marx, On *French Materialism*, *Die heilige Familie*, Cf. *Marx-Engels Gesamtausgabe*, Abt. I, Bd. 3, p. 304; also, *Elected Essays*, Tr. Stenning, pp. 180–193.

②Engels, *Socialism*: *Utopian & Scientific*, p. 23.

③在此期中马克思曾写下列诸书：*Die heilige Familie*（1844）；*Die deutsche Ideologie*（1845）；*Misere de la Philosophie*（1847）；及 *Communist Manifesto*（1848）。

④美国的 M. Bober 所著 *Karl Marx's Interpretation of History* 一书，确可谓考证精详之作。然而它的缺点，乃在没有引用 *Die deutsche Ideologie* 及 *Die heilige Familie* 诸书。

⑤如 *Critique of Political Economy*; *Wage-labour and Capital*; Letter to P. V. Annenkov, 28th. Dee. 1846, *The German Ideology*; *Capital*; *The Poverty of*

Philosophy 诸书，均有关于唯物史观之意见。

⑥Marx, *Capital*, Vol. I, p. 170. (Chicago)

⑦Ibid.

⑧Marx, Free Trade, Appendix to *The Poverty of Philosophy*, p. 224.

⑨Marx, *Capital*, I, p. 422.

⑩Ibid., p. 312.

⑪Marx, *The Poverty of Philosophy*, p. 145. (K. Ed.)

⑫M. Bober, *Karl Marx's Interpretation of History*.

⑬Marx, *Capital*, I, p. 157.

⑭Ibid., p. 197.

⑮Ibid., p. 190.

⑯Marx, Letter to P. V. Annenkov, 28th. Dec. 1846; Also, *Capital*, I, p. 458. Paul's Tr.

⑰Marx, *Capital*, I, pp. 204-205. (Chicago)

⑱Ibid.

⑲Ibid. Vol. II, p. 44.

⑳Marx, *18th Brumairo of Louis Bonaparte*, p. 9.

㉑Marx, *Die deutsche Ideologie*, Marx-Engels Gesamtausgabe, Abt. I, Bd. 5, p. 10.

㉒Ibid., S. 11.

㉓B. Ruseell, *Freedom and Organization*, p. 230.

㉔Marx, *Capital*, I, pp. 396-397. (Chicago)

㉕Ibid., p. 397.

㉖Marx, Letter to P. V. Annenkov, 28th. Dec. 1846; Also, *Capital*, I, p. 458. Paul's Tr.

㉗Marx, *The Poverty of Philosophy*, p. 119. (K. Ed.)

㉘Marx, *Capital*, I, p. 44.

㉙Marx, *Critique of Gotha Programme*, pp. 32-33; *Capital*, I, p. 129. (Chicago)

㉚Marx, *Capital*, II, p. 44.

㉛Marx, *Critique of Political Economy*, Preface, p. 11.

㉜Marx, *Zur Kritik der Politischen Ökonomie*, Moscow, Ed.

㉝同㉛。

㉞同㉚。

㉟Marx, *Capital*, I, pp. 275, 840. Paul's Tr.

㊱Marx, Letter to Dr. Kugelmann, 3rd. Mar., 1889.
㊲Marx & Engels, *Marx-Engels Gesamtausgabe*, Abt. I, Bd. 5, S. 11.
㊳《科学与人生观论战》，胡适的序文。
㊴同㊲。
㊵Seligman, *Economic Interpretation of History*, p. 150.
㊶Laski, H. J., *The State in Theory and Practice*, p. 20.
㊷Marx, *Capital*, I, p. 69. Paul's Tr.
㊸Ibid., p. 57, note.
㊹Ibid.
㊺Marx, *A Critique of Political Economy*, p. 173.
㊻Ibid., p. 11.
㊼Marx, *Capital*, I, p. 675, Note.
㊽Ibid., note.
㊾Ibid., p. 679, Note. (Chicago)
㊿Marx, *Critique of Gotha Programme*, pp. 19–30.
51Marx, *Capital*, I, p. 306.
52M. Dobb, *Capitalism and Political Economy*, p. 22.
53Marx & Engels, *Communist Manifesto*, Cf. *Handbook of Marxism*, Burns, p. 35.
54Marx & Engels, *Marx-Engels Gesamtausgabe*, Abt. I, Bd. 5, p. 27.
55Marx, *Capital*, I, p. 69. (Chicago)
56Marx & Engels, *Marx-Engels Gesamtausgabe*, Abt. I, Bd. 5, p. 175. Also, *Marx-Engels Correspondence*, p. 581.
57Marx, *Capital*, Vol. I, p. 668, Note. (Chicago)
58Engels, Letter to Schmidt, London, 27th. Oct. 1890.
59Marx, *Unfinished Manuscript of the Introduction to Critique of Political Economy*, pp. 309–310.
60Ibid.
61Ibid.
62Marx, *Capital*, Vol. I, p. 91. (Chicago)
63Ibid.
64Marx & Engels, *Communist Manifesto*, Burns, *Handbook of Marxism*, p. 44.
65Marx, *The Poverty of Philosophy*, p. 93 (M. L. Ed.); also, Marx, Letter to P. V. Annenkov, dated Brussels, 28th. Dec. 1846.

⑥⑥Marx, *Capital*, Vol. I, p. 57, Note. Paul's Tr.

⑥⑦Laski, H. J., New Introductions to *Liberty in the Modern State* and *Grammar of Politics*.

⑥⑧Engels, Letter to Bloch, 21st. 1890.

⑥⑨关于唯物史观中之"物"与纯粹哲学唯物论中之物的不同,请参阅第二章。

第四章 革命理论阐微

一 引论：革命、法律与实际需要

我们在前一章中，已对唯物史观的基本命题，加以考释。本章再对他革命理论中的基本命题，加以分析。这个基本命题便是：把资本主义的生产方法，改变为社会主义的生产方法，乃是无产阶级的目标。马克思的革命理论，和其他政治学者的革命论显然不同。其他政治学者只是讨论“革命的权力”、“革命的辩护”等问题，而马克思则推求革命的经济原因。从政治学的观点上看，这种不同可以说是因为它们国家论的不同。其他政治学者，如霍布士（Hobbes）、洛克（Locke）等的国家论，都以社会契约说（Social Contract Theory）为基础，它们由社会契约说推论：所谓国家乃是政治社会的标识。马克思的国家论则以其经济地唯物的社会观为基础。他认为国家乃是经济上的矛盾之表现。国家是一个阶级独占的机构。霍布士认为革命的“权力”是没有方法辩护的，我们没有理由说：人民有革命的“权力”。何以呢？因为在霍布士看来，每一个属民都是他的主权者之行为的“作者”，所以反对主权者，即等于自相矛盾。①洛克虽然承认国家具有经济的性质，②但是他对于私有财产的观念,[3]使他认为国家是一个合法的保护财产的机关,而非一经济上占优势的阶级压迫另一个阶级的工具。

马克思的革命论更进一步推究革命的经济原因;他最后的目的,乃在推翻现在作为阶级工具的国家机关。他认为国家既然是一个阶级斗争的工具,则革命即不需要在传统的法律范围内,寻找理由来辩护。他说:"'革命'这个字是什么意思呢?简明地说,就是不服从法律。但是统治我们生命的法律是什么呢?它们不过是资产阶级社会的产品,或它们所要辩护的制度的产品而已。革命的简单意思就是说:用另一种具有完全不同的理由辩护的法律,来代替这些法律。"[4]马克思认为如果革命需要理由解释,便只有用实际生活情形中所产生的物质需要来解释;革命根本不需要用法律上的理由来辩护。因为"革命并不是法律制造出来的"。[5]任何革命,在马克思看来,都是由于人们实际生活中之物质的需要。[6]

我们对于马克思的革命理论,分两节叙述,第一节叙述他的革命理论与革命实践统一的见解。第二节叙述他的无产阶级革命理论。

二 革命理论与革命实践的统一

马克思在《共产党宣言中》曾经把无产阶级与共产党认为是一种人。因为他以为它们的"利益"和"原理"是一致的。[7]但是共产主义者实际上乃是比较"进步的"及"果断的"无产阶级,[8]因为"他们比无产阶级大众所特有的好处,是在于:他们清楚地知道无产阶级运动前进的路线情况,和最后的一般结果"。[9]在这种特殊意义上，马克思把共产主义者叫作“实践的唯物论者”：他们的工作，乃是在“变革世界”。⑩这些在知识上进步的共产主义者，这些实践的唯物论者或哲学家们，对于一般的劳动者，乃处于一种教育的地位。他们教给劳动者：人类社会演变的历史，现在的情形，以及未来的展望。因为一般劳动者自己，没有时间和能力，去单独研究这些问题。如果一般劳动者不了解这些问题，亦即不也变成共产主义者，实践的唯物论者，或哲学家，则他们仍然会是不自觉地忍受资本家的剥削。只是在他们也变成共产主义者的时候，他们才开始知道：把他们弄得“除了锁链之外，别无可丢失”⑪的境况之历史的过程，以及历史的必然性加诸他们自身的，结束“人类社会之史前阶段”的使命。⑫所谓“人类社会之史前阶段”，即是共产主义社会以前的社会：因为马克思认为，在实行共产主义以前的社会是残忍的、野蛮的、剥削的社会，犹如人类在史前期的活动一样。

这些共产主义者们，实践的唯物论者们，将以两种理论教给一般劳动者。此两种理论即唯物史观和革命理论。教给他们这种理论就等于使他们“阶级自觉”。所谓“自觉”即使他们觉悟他们自己的阶级地位，与阶级利益。唯物史观可以使他们了解：所以把他们弄到目前情况的历史进程。革命理论则告诉他们：他们自身在变革现社会秩序过程中的重要性。共产主义者，实践的唯物论者们，这样地教导了一般劳动者之后，一般劳动者才会晓得：在历史发展到现阶段的时候，“劳动者们没有选择：他们不是被饿死，即须开始战斗”！⑬“资产阶级只允许无产阶级一种篡夺——即战斗”！⑭除非一般劳动者已经阶级自觉，或变成了马克思所谓“哲学家”，是不会产生无产革命的。因为无产阶级乃是为自己求解放，⑮照马克思的说法，此解放的“头”是哲学，而无产阶级自身是此解放的

“心”。[16]了解哲学等于有“知识的自信力”。[17]这种知识的自信力，可帮助他们取得“解放的地位”。[18]所以，“若不了解哲学，无产阶级是不能取消它自己当作无产阶级的存在的”。[19]

但是我们却不可把这种哲学看成一种用以激动劳动者们之情绪的宣传。固然，在某一意义上，我们可以说这种理论是一种宣传。如果我们这样说，则我们必须知道：如是宣传不代表一些责任的实在的事情，或若宣传不是真的，则它绝不会产生深切的永久的效果。因为，假如它不代表任何事实，它只是空话，空话是没有实际意义的。既无切实的意义，则绝不能激动被宣传者的情绪。反之，如果宣传代表事实，那么，我们毋宁说是此“事实”本身有激动人们情绪或迫使他们行动的力量；而宣传不过是一种媒介而已。

马克思革命理论中的“现实”或“事实”，究竟是什么意思呢？我们所谓马克思的革命理论基于事实者，有两种理由。一、在劳动阶级方面，此种理论以他们的“贫乏的生活方法”（wanted mode of life），[20]和他们实际上想改善他们生活方法的欲望，为基本事实。二、关于劳动者未来的行动，它注意无产阶级求“解放的历史条件”。[21]据马克思的意见，“共产主义者的理论结论，并非人类发明或发现的观念或原则”。[22]反之，“将来在任何固定阶级要做的事情，现在所要做的事，显然都必须根据一个人所必遵循的特定的历史条件”。[23]他认为：在讨论社会问题的时候，“若不是解决的要素都包括在一个问题的条件之中，则此问题是不会解决的”，[24]用我们的话说，马克思认为无产革命是有其历史的原因与条件的。如果条件不具备，则革命不会成功。故共产主义者，应该注意这些条件。这些条件即是经济的条件。在无产革命的运动中，革命者必须注意生产诸力发展的情形。马克思说：“在所有的生产力发展以前，亦即在一种社会秩序中仍有生产诸力发展的余地时，则此社会秩序是不会消灭的。‘同时’，在旧社会的子宫里，新的较高的生产关系之物质存在条件成熟以前，这种新的较高的生产关系，是不会出现的。”㉕

我们由上面的讨论，可以得到一个结论：即马克思的革命理论乃是教人承认历史的必然情势。也许有人以为，既然依靠历史的必然情势，那么，劳动阶级便可以等待着新社会的来临了，何必又要革命呢？这种见解是错误的。马克思固然说物质生产发展的条件对于革命是重要的，但同时他也告诉我们不要忘记："人的本身乃是他的物质生产的基础。"㉖他说，固然"生产主体的人，是把他自己表现在所有制度中的。这些制度都多少也改变一些他一切的职能与活动"；㉗但须知"所有人类的关系及职能对于物质的生产也多少加上一些确定的影响"。㉘在后一种意义上，马克思说："人做成了他自己的历史"；可是同时他又接着说："他却不能在整个的范围之外制造他的历史；他并不是在他自己选择的诸条件下制造他的历史，而是在他身边所遭遇的诸条件下制造成的。"㉙这些话所表示的意思，简单地说便是：马克思认为人类社会发展的一般趋势，是不可抵抗的。这种趋势必然地在某种限度内会限制人类的活动。但这并不是说，人类便不能行动了。反之，人类的行动也是促成那个必然趋势诸因素中的一种因素。以上所引马克思的话，也绝不表示：人类不能有"自由"的活动。马克思所谓自由，是受黑格尔的影响。他认为"自由"的行动，必须承认"可能性"（possibility）。只有它承认可能性，它才能够变成"实际性"（actuality）。而"可能性"与"实际性"的联合，便是所谓"必然性"（necessity）。㉚

我们试再把马克思的话，加以解释。人类的活动既然是社会事实中之一种因素，则它便不能和这些事实没有关系。它一定在那些事实中发生一些影响。从另一方面说，既然在社会事实中尚有其他因素，则此诸因素也一定要影响人类的行为。人的行为每每以此诸其他因素为前提，它不能逃掉它们对它的影响，甚至于限制。所谓“自由”，是一个相对的名词。若不对于一个可能的结果说，一种行动或一个意志，无所谓自由不自由。至于其结果是否是可能的，即可以实现的，绝不能只用“行动”或“意志”来说明。而必须用“行动”、“意志”再加上“其他因素”一齐来说明。因为，一结果之所以变成实际的，也有此“其他因素”在内，不仅是人的“行动”和“意志”。也可以说：“行动”和“意志”只是某结果的必要原因；而“行动”“意志”再加上“其他因素”才是某结果的充分原因。一结果之实现，必靠充足的原因，而非只由于必要的原因。例如，马克思认为：无产阶级革命，是人类实力发展之一个可能的结果。人类的活动既为历史发展中的一种因素，则人类的活动即不能与此结果毫无关系。固然一方面，无产阶级革命，乃是“现在社会不可抵抗地向之趋赴”[31]的结果，但另方面，“无产者自身也必须把他们自己做成正在他们眼前进行着的事实的工具”。[32]换句话说，无产阶级必须“把新社会的因素，解放开来。这些因素都是自己在旧的、正在崩溃中的资产阶级的社会之本身孕育了的”。[33]共产主义虽然是可能的，但无产阶级若不起来促其实现，也是不会成为事实的。唯物史观告诉无产阶级这个历史演变的必然过程。革命理论告诉他们：他们自己必须做“接生婆”（midwife）的工作。此工作不过是一种“诉诸强力”（force）。但“强力乃是任何孕育着一个新社会之旧社会的接生婆”。[34]这种强力乃是“历史的发动机”，[35]这种行动即是革命。因此，他认为“所谓共产主义乃是一种实际运动，这种运动将扫除现在的情况。这个运动的条件,乃是已经存在着的前提所供给的”。[36]因为以上种种原因,所以马克思最后的教训是:“全世界的劳动者们,联合起来!”[37]

三　无产阶级革命论

我们在本段所讨论的问题,一个是无产阶级革命的经济原因;另一个是用阶级斗争的方式所进行的革命。

(一) 革命的经济原因

在马克思看来,生产方法之内在的冲突,乃是无产阶级革命的基本原因。关于此种种内在的矛盾或冲突,马克思曾有文章说明。

他说:“在它们发展的某一阶段中,一社会的物质生产力,便与现存的生产关系发生冲突;或者用法律的术语说,与它们一向相安无事的财产关系,发生了冲突。由这些生产诸力的发展形式中,这些生产关系才成了它们发展的阻碍(fetters)。然后,即将到了社会革命的时期。整个庞大的上层建筑,随着经济基础的变化,也很快地转型。

在我们研究这种转变时,我们永远应该把:可以用自然科学中之确切性决定的,生产之经济条件的物质转型,和人们由以自觉此冲突而谋打开此冲突的,法律的、政治的、宗教的、美术的或哲学的,简言之,即意识诸形态的转型,加以区别。

正如我们对一个人的意见不能靠他自己对自己的看法决定

样，所以我们也不能根据一转型时期的意识，来判断这个时期。相反地，我们应该用物质生活中的矛盾，用现存的社会生产诸力与生产关系间的冲突，来解释这种意识。在某一社会意识中，当所有的生产诸力被充分地开发前，亦即所有的生产诸力仍有发展的余地时，则此社会秩序是不会消灭的；而且，新的较高的生产关系，当它们存在的物质条件在旧社会的子宫里成熟前，也是不会出现的。

所以，人类所拾取的问题，永远是他们所能解决的问题。我们比较仔细地观察这个问题，便可以知道：问题本身的发生，恒在其解决所必需的物质条件已经存在之时，或至少恒在此种条件正在形成过程之时。

就大概而言，我们可以指出：亚细亚的、古代的、封建的及近代资产阶级的生产方法，是社会经济结构进步过程中的许多不同的时期。资产阶级的生产关系，乃是社会生产过程中之最后的冲突形式。所谓冲突，并非指个人的冲突，而是由环绕个人在社会生活中的条件而产生的冲突。同时，在资产阶级社会中发展着的生产诸力，也创造了解决此种冲突之物质的条件。上述社会的构成，便作成了人类历史的史前时期的最后一章”。[38]

我们知道，资本主义生产方法之主要的条件是要有资本和工资劳动。在马克思看来，资本是累计的劳动（accumulated labour），而工资劳动是活的，现实的劳动（living actual labour）。[39]在资本主义生产方法中，此二者一方面是基本的生产条件；另方面又是对立的。[40]何以呢？因为照马克思的剩余价值学说来讲，若不剥削未付工资的劳动（unpaid labour），资本是不会增加的。剩余价值说，最简单的说明是：制造品的价值减去劳动力的价值等于利润。则利润就是劳动者的剩余劳动变成功的。什么叫作剩余劳动呢？即未付工资的劳动。何以有未付工资的劳动呢？因为马克思相信：在资本主义之下，劳动力也变成了一种商品，也可以有价值。但是在工作中的劳动力，可以产生一种比它自己价值（即其工资）大的价值。既然如此，则除了已得工资的劳动外，还有一些未得工资的劳动，即剩余劳动。这剩余劳动就是剩余价值或利润的前身。所以，马克思不但把累计的劳动视为堆积的剩余劳动；又认为：若使资本增加非剥削剩余劳动不可。因此可见，“在资产阶级的社会中，活的劳动，不过是增加累积劳动的一种工具”；[41]而“资本的增加亦即是无产阶级的增加，或劳动阶级的增加”。[42]所以说资本与工资劳动是对立的。

与这种资本主义生产方法相符合的生产关系，乃是：占有生产手段者，占有一切；而自由劳动力者，便只有以出卖劳动力赚取工资来维持生活。生产手段既为私人所有，所以如何利用此生产手段，以从事生产这件事情，完全受私人资本家的支配。而他们生产的目的，只是为了取得利润。这种受求利润欲望驱使，任意生产，而无照顾整个社会之需要的状态，马克思名之为“生产的无政府状态”。这种生产的无政府状态，在以出卖劳动力维生的人们方面，产生了贫困的现象；[43]因为私人的生产与社会的需要及分配之间没有计划，自然不免有生产过剩的现象；同时，亦即不能不有减低工资或失业的现象。资本主义社会的“进步”，[44]就是建筑在这种矛盾的生产无政府、生产诸力发展而解决，资本家与劳动者的冲突或矛盾亦愈尖锐化。所以，马克思说：“一切社会……他们便要和现存的生产关系发生冲突了。”资本家和工资劳动者在生产关系中的不同，即他们在生产关系中的不同，财产关系不过是生产关系表现在生产诸力发展到某一阶段与生产关系发生冲突，即等于与财产关系发生冲突,不但冲突,而且“这些生产关系还变成了物质的生产诸力的阻碍”。也就是说,在资本家的私有财产制度之下,活的劳动到了这个阶段,便不允许资本(capital)再来剥削它了。工资劳动者需要另外一种生产方法,而取消在资本主义的生产方法:集体生产(production is collective),和私人交换和分配(exchange and distribution is individual)的矛盾。[45]这种冲突根本是经济的;但反映在社会的关系中,它便变成了财产上的冲突了。马克思认为:财产问题从来即是某一特殊阶级的生命问题。在十九世纪,当时的纠纷是在:取消资产阶级的财产关系;所以财产问题是劳动阶级的生命问题。[46]劳动者便是“自觉到此种冲突而促其实现”的人。

因为上述诸原因,我们不能用一社会之意识形态如道德或政治的企图,来判断一个社会转型的时期。反之,这种转型的原因,只有用现存的生产诸力与生产关系的冲突来说明。只有由此冲突展开,才能把现存的生产方法改变成为一较高的生产方法。而这种冲突是根本存在于资本主义社会之内的。在资本主义社会中,一方面有生产手段的集中,另方面有劳动的社会化。此两现象发展到必要时期,即与其资本主义的外皮冲突,而此外皮即行脱落。那时候“资本主义私有财产的丧钟便鸣了。剥削者们也被剥削了”。[47]在事实上,马克思认为:由资本主义私有财产转变成共产是比由分散的封建的私有财产转变成资本主义私有财产,容易一些。因为资本主义的私有财产,事实上早已建筑在社会化的生产之上了;[48]而分散的封建私有财产则系根据个人的劳动(individual labour)。[49]在由封建私有财产转变为资本主义私有财产的过程中,是少数剥削者,剥削大众:所以这个过程比较不容易完成。而由资本主义私有财产转变为社会化财产的过程中,是大众来剥削少数的剥削者:所以这个过程比较容易完成。[50]等到历史走到了后一个时期,马克思说:“资本主义的生产方法,如一个自然法则的准确性,也遭遇到了它自己的否定,这是否定之否定”。[51]何以说“否定之否定”呢? 因为:资本主义生产方法否定了封建的生产方法;而它自己又被社会主义生产方法所否定了。故此最后一个否定,乃是否定之否定。

(二) 阶级斗争

上面已将无产阶级革命的经济原因说明。我们现在再分析马克思所谓阶级斗争的意义。关于此点,我们可分三部分叙述。第一,马克思对于阶级的看法。第二,阶级斗争在马克思学说中的地位。第三,阶级斗争之实际的过程。以下分别述之。

第一,马克思的阶级观。马克思自己并没有给阶级下定义。《资本论》第三卷的最后一章,是讨论阶级的;然而并没有完稿。固然,他曾提到过许多阶级的名称,如自由人与奴隶、贵族与贫民、地主与农奴、行会主人与职工;[52]古代的债务者和债权者、罗马时代的贫民债务者及中世纪封建的债务者。[53]在近代社会中,最有阶级意义的阶级,是资产阶级与无产阶级。[54]我们现在所要注意的,乃是马克思给阶级分类的标准。此标准即是他的经济的唯物的观点。马克思用他的经济的唯物的观点,来给人类社会经济演进阶段分期;同时,他也用这个标准给近代社会中所存在的阶级分类。这个观点,这个标准,当用以说明人类社会的存在时,即是“某一社会中人们取得其生活资料的方法”。也就是该社会取得生存的手段(means of subsistence)或生产方法。马克思是把“生产方法”及“某一社会中人们取得其生活资料的方法”二者，用以表示同样的意思。关于此点，我们已经在“唯物史观考释”一章中，详加说明。但在此处，我们不妨再举两个证据，证明马克思把这两个名词用作一个意义。

在《哲学的贫困》一书中，马克思曾经把这两个名词当作文法上的同位(apposition)。他说："en changeant la mode de production, la manière de gagner leur vie, ils changent tous leurs reports sociaux."[55]（英译："In changing their mode of production—their manner of gaining a living—they change all their social relations."）[56]英译句中，可以清楚地表示“同位”之意。意即：“在人们改变其生活方法，即取得其生活资料的方法之中，他们也改变了所有他们的社会关系”。在这句话中，la mode de production 一名词，显然地与 la maniere de gagner leur vie 一词是文法上的同位的关系。既然是同位，当然表示两者是一个东西了。在《资本论》中，他又在应该用“生产方法”一词的地方，不用“生产方法”，而用“人们取得生活资料的方法”一词来代替。他说："Das mittelalter könnte nicht vom Katholizismus und die antike Welt nicht von der Politik Leben. Die Art und Weise, wie sie ihr Lebon gewannen, erklärt umgekehrt, warunt dort die Politik, hier der Katholizismus die Hauptrelle spielte."[57]（英译："The Middle Ages could not live on catholicism, nor the ancient world on politics. On the contrary, it is the mode by which they gained a livelihood that explains why here politics, and there catholicism played the chief part."）[58]意即：“中世纪不能以天主教维生，古代世界亦不能以政治维生。反之，乃是他们求得其生活资料的方法，倒可以说明，何以政治在古代，天主教在中世纪，占重要的地位。”在这段话中，马克思的原意

乃是用生产方法的性质来解释政治及天主教的发展，认为后两者都与当时的生产方法，有密切的关系。但是他在这里却不用 Die Produktionsweise 一名词，而以 Die Art und Weise, wie sie ihr Leben gowannen 一词代替。由此亦可见两者是可以通用的。马克思使用“人们取得生活资料的方法”这个标准，来区分各不同的经济时期，并且也把它当作阶级分类的标准。

我们虽然已知：马克思给阶级分类的标准，是一个人的“生活方法”(Die Lebeneweise)，一个社会的“生产方法”，或“一个人取得其生活资料的方法”，但是如果我们仅用此标准而不加以限制，其结果是不但不能得到正确的分类，并且有违马克思的原意。所以，又有人主张把上述标准稍加限制，而以“一个人取得生活资料的方法与其当时流行的生产手段的关系”(“The way in which one earns his livelihood in relationship to the prevailing means of production.”)[59]为区分阶级的标准。以下分别述之。

先述毫无限制，与马克思原意不符的说法。拉斯基教授在他的《共产主义论》一书中，曾说，“据马克思的观点，合于科学正确的区分阶级的方法，是以人们取得其生活资料的方法为标准”。[60]其实这个见解，已由马克思在《资本论》第三卷最后论阶级一章中表示过了。但马克思对此标准并不满意。他只是提出此意见，并未确定算作他自己最后的意见。不但如此，而且由他行文的语气看来，假如“论阶级”一章写完的话，他一定不拿上述的标准为标准。何以呢？因为用这标准并不能得到阶级的正确分类。假如以“一个人取得生活资料的方法”为标准，则事实上有一特别的不同取得生活资料的方法，即须有一特殊的阶级，这样一来阶级就不免太多了。例如教书匠，以教书赚薪金为取得生活资料的方法；卖花生的以卖花生为取得生活资料的方法;卖报的以卖报为取得生活资料的方法;这样下去,差不多每一种职业都有一种不同的取得生活资料的方法。则阶级岂不是太多了吗?并且,马克思自己也会说:这只是职业的不同,而不是阶级的不同。[61]所以,拉斯基这个看法是有毛病的。

道勃(Dobb,M.)的看法,我觉得比较正确,并且也似乎合于马克思的原意。他认为马克思区分阶级的标准,乃是"一个人取得生活资料的方法与其当时流行的生产手段的关系"。道勃对这句话并无说明。我们试加解释如下。这关系是一种什么关系呢?生产者与生产手段所发生的关系,只是"所有权"的关系,亦即"有"或"无"的关系。依照这个解释,我们便可把劳动者及资本家都视为特殊的阶级。直接从事生产工作,不领有生产手段,仅以出卖劳动力,赚取工资,以取得维生资料者,即是劳动阶级。经营生产事业,而不直接参加劳动过程,但领有生产手段,以剥削剩余劳动,赚取利润,为取得维生资料方法者,即是资产阶级。这种阶级分类的标准,我们认为可以代表马克思的原意。此标准不但注意各人不同的取得生活资料的方法;也注意此取得生活资料的方法与当时流行的生产手段之所有权的关系。有了这个标准,我们便可对近代社会中之两大阶级的性质,得到明确的解释。

马克思此观点,是不是合于客观事实呢?马克思自认为:他并不是在用一个理论的武器,创造出来上述的阶级。因为他自己曾说他"发现"[62]阶级。说发现某种东西,当然先假定某种东西已经存在在那里了。他认为有一种特殊的生产方法,便有一种特殊的阶级。他自己说,他的重要工作,乃是证明"阶级的存在是与生产发展的特殊的、历史的形态有密切关系的"。[63]比如,近代资本家阶级及工资劳动者阶级，便是资本主义生产方法下的特殊产物。因为“资本主义生产发展的规则及其不断的趋势乃是：愈来愈把生产手段与劳动分开，并且把分散地生产手段愈来愈集中于大的集团里。这样便把劳动变成工资劳动，生产手段变成资本”。[64]资本家阶级及工资劳动者阶级，也就予以产生。马克思特别告诉我们，此两阶级所代表之经济关系，并非是大自然创造的；也不是一切历史时期所共有的。他说：“有一件事情是很清楚的；大自然并没有一方面创造出金钱或商品的领有者，另方面创造出除了自己的劳动力外一无所有的人们。此种关系，并无自然的基础，而且此种关系的社会基础，也非一切历史时期所同有的。”[65]反之，“此种关系显然乃是过去历史发展的结果，是许多经济革命的结果，亦即整个旧的社会生产形式消灭后，才有的产果”。[66]也就是说，资本家阶级与劳动者阶级乃是资本主义生产方法下的产品，而此种生产方法，只是我们的时代所特有的。

此外，还有一点可以注意。马克思不但用经济的标准来区分阶级，并且他还认为此标准是究极的或基本的标准。他的整个历史观便是说明此经济观点之根本性的。马克思与其他社会学者关于区分阶级意见的不同，乃是他们所用的标准不同，当社会学家批评马克思时，他们都是说，区分阶级不能“只”以经济学为标准。他们并不是说，即使用经济标准来区分，马克思也把经济给分错了。由此可见：他们间的争端根本乃是“区分的标准”（criterion of classification）问题。我们要知道，如果争点是在区分标准的不同，则不只是某一特殊的分类合不合事实的问题，而是那一个标准最根本的问题了。由政治观点，社会观点的分类，都可以合于事实。我们可以把人类分成治者与被治者，这是用政治的标准；同时也合于政治事实。我们又可以按着社会的等级,把人类分成若干种类,这是用社会的标准;并且也合于社会事实。马克思的问题是:"在这些标准中,哪一种标准最基本"?也就是说:合于哪一种事实,最关重要?上述分类虽然都与某种事实相合,但马克思毫无疑问地,认为:区分阶级以合于经济事实为最关重要。亦即,经济的标准,最为基本。所谓"重要"与"基本",都是相对的名词。一件东西的"重要"或"基本"与否,全看对于什么说。给阶级分类的目的在于:把这一群人的社会存在及其活动,与另外一群人的社会及其活动区别开。对于这个目的说,马克思认为经济的标准是重要的,是基本的。因为人类最重要或基本的存在,就是物质的经济的存在;而最能决定他种活动之性质的活动,就是物质的经济的活动。举凡政治的社会的存在之不同,及政治的社会的活动之不同,都因为先有了经济的物质的存在及活动之不同。把握住这种物质的经济的存在及活动的不同,自然可以推得人类其他存在及活动之不同了。这便是马克思认为物质的经济的标准更重要,更基本的原因。而此种分类标准的不同,根本地说,仍然是马克思的唯物史观与其他社会学家、政治学家的见解之不同。所以,马克思区分阶级的标准,乃是他的唯物史观之逻辑的产物。事实上,固然每一种区分都代表一观点,并且每一观点,都可把握一事实的某一方面。但是在解释整个人类社会的发展时,此诸区分之可应用的程度,则大不同。社会科学家便应该在此不同的观点中,寻找一个最重要最基本的观点。

第二,阶级斗争在马克思理论系统中之地位。大家都知道在马克思的学说中,阶级斗争是很重要的一个概念。但有好多人却误解阶级斗争在马克思整个思想系统中的地位。有的人认为:阶级斗争是马克思解释人类历史的基本观念,他们认为生产方法一概念倒反不重要了。其实这是错的。但此种错误,也并不是偶然的。马克思常用"阶级斗争"这个名词:在《法国的阶级斗争》一书中,并且拿它作书名。《共产党宣言》第一句便说:"从来以迄现在社会的历史,都是阶级斗争的历史。"他又说:"阶级斗争当作直接推动历史的力量。"[67]"除了用阶级斗争的方式外,自来存在的社会,不曾根本地变动过"。[68]因为马克思这样看重了"阶级斗争",自然不免有人误会以为"阶级斗争"是他的理论系统中的根本观念。然而,尽管马克思认为"阶级斗争"是一件重要的事实,但他却绝没有把它当作其理论系统中的基本观念。他理论系统中的基本观念,仍然是生产方法。何以呢?

一则,在理论上,阶级斗争一观念,可以用生产方法来说明或界定。既然如此,则阶级斗争一观念即是次级的或引出的概念,而非初级的或基本的概念。根据第一节所述,可知某一特殊阶级的产生,乃是由于有某种特殊的生产方法。这就表示:阶级可以用生产方法来说明或界定。"阶级斗争"表示存在于阶级间的一种"关系",即"斗争的关系"。此种"关系"当然不如"阶级"根本。因为如果没有阶级做关系者,即不会有阶级斗争的关系。可是假如有阶级斗争,则必然地已有某些敌对的阶级。阶级斗争概念既然不及阶级概念根本,则它自然更不及生产方法一概念根本了。因为阶级概念本身,也可以用生产方法概念说明或界定。

二则,在事实上,马克思认为阶级斗争的特殊形式,也受特殊的生产方法所决定。例如,他认为近代的阶级斗争,乃是因为"生产方法中把劳动附庸于资本的变化"所致。[69]这种关系一日不解除,则两阶级间的实际斗争,即一日不能停止。他说:"只要允许此工资劳动与资本的关系仍然存在……则永久有一个剥削的阶级，和一个被剥削的阶级存在。”[70]这样，斗争自然也就不能停止了。他们间之关系，代表着近代资本主义制度的生产方法中一种不可调协的冲突；阶级斗争不过其外在的反映而已。可见在事实上生产方法也是决定阶级斗争之存在及其性质的基本原因。

以上两点，已经说明阶级斗争在马克思理论系统中，并不如生产方法重要。我们在这里仍有两点，要加解释。其一，有人以为：马克思既认为人类历史是阶级斗争史而当无产阶级执政后，即可无阶级斗争，是说不通的见解。实则马克思的共产党宣言开首是说：“Die Geschichte aller bisherigen Gesellschaft ist die Gesehichte von Klassenkampfen.”[71]（即“所有过去以迄现在社会的历史是阶级斗争史”）这句话所指的社会乃是 die Gesehichte aller bisherigen Gesellsehaft，即指资本主义及其以前的社会，并不包括社会主义的社会在内。既然如此，则在现在及现在以前社会的历史尽管是“阶级斗争史”；而将来的社会则并不必有阶级，亦自然即不必有阶级斗争。两者并不冲突。因为在未来的社会中，无产阶级执政后，它可以取消阶级，即资本家与工资劳动者，自然也就没有近代资本主义社会劳资的阶级斗争了。取消阶级的根本办法，即是改变生产方法的性质。至于在未来的社会中，再有因必要的社会分工，而发生的职司上的区别，如教书、打铁、演剧、缝衣等等，这就不是马克思所谓阶级了。在教书的人，打铁的人，演剧的人，及缝衣的人们之间，只有合作，并没有上述那种意义的根本矛盾与斗争。

其二，在未来社会中，既没有了阶级，但马克思上面却说：“阶级斗争当作推动历史的力量”，则未来的社会，岂不要因失却此推动力量而停止前进么。关于此点，我们要注意：马克思只是说：“除了用阶级斗争的方式外，从来迄今的社会，不曾根本地变动过。”这句话并不是说：除了因阶级战争而生的变化外，从来迄今的社会没有其他变化，例如政治的、哲学的、道德的等变化是；不过虽有，但不“根本”而已。因阶级斗争而起的变化，穷原竟委，仍然是受生产方法所决定的变化。这句话也并不是说：未来社会中没有了阶级斗争便没有了进化。而是说：在没有阶级的社会中，社会进化不再用阶级斗争的方式来表现而已。换言之，在未来的社会中，人类各方面的生活都可以有进步，但因根本没有了阶级，所以也没有了阶级斗争。

第三，阶级斗争之实际的过程。但是阶级斗争在事实上是重要的，它是解决基本经济矛盾的手段。在资本主义的社会中，根本即不能取消阶级斗争。“要取消它，我们必须把资本对于劳动的剥削铲除”。[72]我们都知道：资本对于劳动的剥削，乃是资本主义存在的基本条件，取消它即等于取消整个资本主义生产方法本身。照马克思的唯物史观说，整个旧社会即立脚于此生产方法之上。“所以，被压迫阶级的解放，必然地包含着创造新社会”的意思。[73]我们下面试把无产阶级解放，求达到建设新社会的步骤，略加叙述。

近代阶级斗争，是有其历史的。最初，劳动者是相互隔离的，因为他们出卖劳动的时候，也有竞争（competition）；这种竞争把他们自己间的利益给分化了。[74]但迟早他们会发现他们之间的共同利益，于是便组织了工团（combination）。“他们有保持工资以对抗他们的主人这个共同利益，此利益使他们可以为了一个共同对抗的目的而联合——工团”。[75]工团的目的有二：一是停止工人阶级自身的竞争；二是组织一个对付资本家的共同战线。因为劳动者方面有此种组织，故资本家也有联合的行动以达其压服劳动者的目的。在资本家有了联合行动的状态下，劳动组织之工团的意义，便比原来为了维持工资的目的更重要了。[76]在此期间中，知识上进步的劳动阶级或共产党，便把一般劳动者组织成为一个阶级。共产党的“当前的目的”乃是“把无产组织成功一个阶级”。[77]他们依照唯物史观的说法教给劳动者：不应该仅为了工资而斗争，为了确定正常的工时而斗争，总之不应仅为了暂时对他们有益的事情而斗争；反之，而应该为了争取他们最后的解放而斗争。用联合力量和伸张力量这些办法，劳动阶级便可准备及训练“为了未来战争的一切必需的条件”。[78]所谓“未来的斗争”，不是旁的，即是把阶级斗争由“掩蔽的内战”变成“公开的革命”。[79]所谓革命，简单地说便是“把所有现存的社会情形都用强力推翻”。[80]这种行动，必须用强力，因为强力是社会降生的产婆。[81]革命是历史的推动力。[82]

但是，“公开的革命”与“掩蔽的内战”之间究竟有什么区别呢？根本地说，它们是一样的，它们都是阶级斗争。它们的不同即在：到了“公开革命”的阶段，“掩蔽的内战”具有了“政治的性质”。[83]也就是说阶级斗争到了这种时候，不可避免地要推翻旧社会的政治权力，[84]或国家。何以必须要推翻国家呢？因为“国家的存在与奴隶制度的存在是不能分开的”；[85]而因受生产方面资本与劳动对立愈尖锐化的影响，国家权力也逐渐变成压迫劳动的力量，变成了维持社会奴役的公共力量，变成了阶级专制的引擎。[86]

推翻国家后，接着便是无产阶级专政时期。[87]但此阶段乃是“取消所有阶级而达到一无阶级社会的过渡时期”。[88]无产阶级专政是必要的，因为这是一种改变表现人性方式[89]的手段。经此改变，可以消除人们之资产阶级的偏见及心理。过了这个过渡时期之后，国家也自然就凋谢（withers away）了。接着的便是一种基本的联合(association),此联合代替了政治权力的国家。马克思说:"劳动阶级将以一种'联合'来代替旧的政治社会。在此联合中,将不会再有阶级与阶级斗争。也不会有一般意义的政治的权力了。因为政治权力显然地是政治社会中之矛盾的表现。"[90]我们由此可知:马克思认为未来的社会必将是一个"联合"的形式,在此"联合"之中,某一个人的自由发展,就是所有其他的人之自由发展的条件。[91]这种联合就正是自由联合,有整个计划,各个分子休戚相关的社会。只有在那时候"每个人……才能把他的能力应用到促进人类进步的工作上去"。[92]只有在那个时候人们才取消了"他的抽象的公民性质",而事实上真享受到应享的权利。关于未来社会的经济特征,马克思曾说:"在未来的社会中,阶级斗争是没有了,因为在那个社会中已经没有了阶级。'用'(use)也不再受最少生产时间(minimum time of production)来决定;一件物品所需的生产时间要受该物品的功用所决定了。"(the time of production devoted to an article will be determined by the degree of its utility)[93]又说:"在共产社会中,累积的劳动只是一个扩大、充裕、发展劳动者之存在的工具";[94]而不再为资本家私人的资本。在未来的社会中也不会有生产无政府的状态:因为生产的目的不再受获利润的欲望所支配。只有在那个时候,才有"各尽所能,各取所需"[95]的情形。

注　释

①Hobbes, *Leviathan*, p. 92. Chap. XVIII, Everyman's Edition.

②Locke, 2nd Treatise on *Government*, pp. 163–164, 226.

③Ibid., pp. 129–141. Cf. *Property*.

④Cf. Gide and Rist, *History of Economic Doctrines*, p. 472, Note.

⑤*Capital*, I, p. 823. (Chicago)

⑥Marx, *Critique of the Hegelian Philosophy of Law*, Cf. *Selected Essays*, pp. 26–29.
⑦Cf. Burns, *Handbook of Marxism*, p. 37.
⑧Ibid.
⑨Ibid.
⑩Marx, *Die deutsche Ideologie*, Cf. *Marx-Engels Gesamtausgabe*, Abt. I, Bd. 5, p. 32.
⑪Cf. Burns, *Handbook of Marxism*, p. 59.
⑫Marx, *Critique of Political Economy*, p. 13, Preface.
⑬Marx, *Class Struggle in Frence*, p. 56.
⑭Ibid., p. 39.
⑮Marx, *Civil War in France*, p. 50. (M. L.)
⑯Marx, *Critique of the Hegelian Philosophy of Law*, Cf. *Selected Essays*, p. 39.
⑰Ibid., p. 33.
⑱Ibid.
⑲Ibid., p. 39.
⑳Marx, *Capital*, I, p. 807. (Chicago)
㉑Marx, *Communist Manifesto*, Cf, Burns, *Handbook of Marxism*, p. 68.
㉒Ibid., pp. 37–38.
㉓Marx, Letter to D. Nieuwenhuis, dated London, 22nd. Feb. 1881.
㉔Ibid.
㉕Ibid., p. 12.
㉖Marx, *Theorien über den Mehrwert*, Bd. I, p. 388.
㉗Ibid.
㉘Ibid.
㉙Marx, *18th. Brumaire of Louis Benaparte*, p. 9.
㉚Hegel, *The Logic of Hegel*, Tr. Wallace, p. 237. *Capital*, III, p. 954.
㉛Marx, *Civil War in France*, p. 50.
㉜Cf. Mehring, *Karl Marx: His Life and Writings*, p. 125.
㉝Marx, *Civil War in France*, p. 50.
㉞Marx, *Capital*, Vol. I, p. 824. (Chicago)
㉟Cf. Mehring, *Karl Marx: His Life and Writings*, p. 195.
㊱Marx, *Marx-Engels Archiv.*, Bd. I, p. 252.
㊲Marx, *Communist Manifesto* 末一句。此即马克思把他的理论叫作"Das En-

ergische Prinzip der nächsten Zukunst"（见 Privateigentum und Kommunismas, *Gesamtausgabe*, Abt. I, Bd. I, p. 126）的理由。

㊳Marx, *Critique of Political Economy*, pp. 12–15.

㊴Marx, *The Poverty of Philosophy*, p. 53. (M. L.) *Communist Manifesto*, Cf. Burns, *Handbook of Marxism*, p. 39.

㊵Marx, *The Poverty of Philosophy*, p. 54.

㊶Marx, *Communist Manifesto*, Cf. Burns, *Handbook of Marxism*, p. 39.

㊷Marx, Wage-labour and Capital, Lee's *Essentials of Marx*, p. 97.

㊸Marx, *The Poverty of Philosophy*, p. 59.

㊹Ibid.

㊺Ibid., p. 59.

㊻Marx, *Die Moralisuerende, Kritik and die Kritiksierende Moral*, Cf. *Marx-Engels Gesamtausgabe*, Abt. I, Bd. 6, p. 309.

㊼Marx, *Capital*, I, p. 837. (Chicago)

㊽Ibid.

㊾Ibid.

㊿Ibid.

51Ibid.

52Marx and Engels, *Communist Manifesto*, Cf. Lee's *Essentials of Marx*, p. 31.

53Marx, *Capital*, I, p. 152. (Chicago)

54Marx and Engels, *Communist Manifesto*, Cf. Lee's *Essentials of Marx*, p. 31.

55Marx, *Misere de la Philosophie*, Cf. *Marx-Engels Gesamtausgabe*, Abt. I, Bd, 6, p. 176.

56英译 *The Poverty of Philosophy*, p. 92. (M. L.)

57Marx, *Das Kapital*, Bd. I, p. 86. (Moscow)

58Marx, *Capital*, I, p. 94, Note. (Chicago)

59Dobb, M., *Capitalism and Political Economy*, p. 58.

60Laski, *Communism*, p. 67.

61Marx, *Capital*, III, p. 1032.

62Marx, Letter to Weydemeyer, London, 5th. Mar., 1852.

63Ibid.

64Marx, *Capital*, III, p. 1081. (Chicago)

65Ibid., Vol. I, p. 118. (Chicago)

⑯Ibid.

⑰Marx and Engels, Letter to Bebel, Lieblsneeht, Bracke, Etc. Written by Engels, dated London, 1879. (draft)

⑱Marx, and Engels, *Communist Manifesto*, Burn, *Handbook of Marxism*, p. 36.

⑲Marx, *Captial*, Vol. I, pp. 205–206. (Chicago)

⑳Marx, *The Poverty of Philosophy*, Appendix, p. 224. (K. Ed.)

㉑Marx, *Marx-Engels Gesamtausgabe*, Abt. I, Bd. 6, p. 525.

㉒Marx, *Civil War in France*, p. 78.

㉓Marx, *The Poverty of Philosophy*, p. 46. (M. L.)

㉔Ibid., p. 145.

㉕Ibid.

㉖Ibid., p. 145. Also *Commnnist Manifesto*, Cf. Burns, *Handbook of Marxism*, p. 36.

㉗Marx, *Inauguraladdress der internationalen Arbeiterassociation*, p. 29. Cf. Burns, *Handbook of Marxism*, p. 37.

㉘Marx, *The Poverty of Philosophy*, p. 145. (M. L.)

㉙Marx, *Communist Manifesto*, Cf. Burns, *Handbook of Marxism*, p. 36.

㉚Ibid.

㉛Marx, *The Poverty of Philosophy*, Cf. Gide and List, *History of Economic Doctrines*, p. 492.

㉜Marx, *Die Deutsche Ideologie*, Cf. *Marx-Engels Archiv*. Bd. I, p. 259.

㉝Marx, *The Poverty of Philosophy*, p. 145. (M. L.)

㉞Ibid.

㉟Marx, *Kritische Randglossen*, Cf. *Marx-Engels Gesamtausgabe*, Abt. I, Bd. 3, p. 15.

㊱Marx, *Civil War in France*, p. 40.

㊲Marx, Letter to Weydemeyer, London, 5th. March, 1852. *Critique of the Gotha Programme*; *Class Struggle in France*, pp. 5–8.

㊳Marx, *The Poverty of Philosophy*, p. 124. (M. L.)

㊴Ibid.

㊵Ibid., p. 147. Also Marx's Letter to Annenkov, Brussels, 28th. Dec. 1846.

㊶Marx, and Engels, *Communist Manifesto*, Cf. Burns, *Handbook of Marxism*, p. 47.

㊷Engels, Preface to Die Lage Dar Arbeiterden Klass in England, Cf. *Marx-*

Engels Gesamtausgabe, Abt. I, Bd.

⑨③Marx, *The Poverty of Philosophy*, p. 55. (M. L.)

⑨④Marx and Engels, *Communist Manifesto*, Cf. Burns, *Handbook of Marxism*, p. 32.

⑨⑤Marx, *Critique of Gotha Programme*, p. 31. (New York edition)

第五章　评康德及边沁

一　引论:批评的方法

马克思批评康德(Kant,1724 - 1804 A. D.)和边沁(Bentham,1748 - 1832 A. D.)的见解,主要地见于《德意志的意识形态》一书。[①]他在通信中,虽偶然提及康德,但都只是只字片言。对于边沁则材料颇多。《资本论》中有很多批评边沁的地方。本章一方面搜辑马克思对康德及边沁之伦理和政治学说的批评;另方面阐述他批评中所包涵的意义。

我们在第一章中,已经讲过马克思的方法了。他最重要的方法,就是推求各种现象或学说之历史的经济动机的方法。他批评康德及边沁的学说,亦即用这种方法。这种方法的原则,我们在第一章中已经详述;至于他怎样应用这种原则来批评康德和边沁的学说,则须留待以下二节叙述。

我们要在这里先须加以说明者,即在批评康德及边沁时,马克思并未将他们的伦理及政治学说分别讨论;反之,他把它们视为一个一贯的学说。例如他评康德,他便把康德在政治上的自由主义及其以"善意"为核心的伦理学说,混在一起批评。又如他评边沁,他一方面把功利主义视为一伦理学说，另方面又以为它也是一种政治理论。马克思这种办法，有没有根据呢？他是有理由的。固然我们知道：伦理与政治在亚里士多德时代，即已分别地讨论。[②]但是自康德以来的德国思想家，却是把道德哲学和政治理论搅在一起了的。康德在他的伦理著作中，也讨论法律及政治的问题。他不相信“政治与道德之间，有一真正的冲突”。[③]他主张“真正的政治，若不先尊重道德的原则，是不会有进步的”。[④]这种态度乃是德国政治思想的特征。

边沁的功利主义，也有同样的情形。他的功利原则（Principle of Utility）一方面是伦理学说或道德原则；另方面也是一种方法原则。[⑤]他自己认为：功利原则不仅可以量度个人的行为，也可以衡量政府的行动。[⑥]当我们把功利原则用来量度个人行为的时候，它便是一个伦理学说。当把它用来衡量政府行动的时候，它便是一个政治学说。[⑦]因此，边沁的功利主义，也是一个涉及伦理及政治两方面的学说。

康德及边沁的学说本身，既然都是涉及伦理及政治两方面的理论，则马克思在批评它们时，把它们视为一体，便是有根据的。此点既明，我们即可进而一觇马克思对于康德及边沁的批评。兹先讲康德，后述边沁。

二　评康德的伦理及政治学说

关于马克思对于康德的批评，我们可以分两步叙述。一、康德的伦理及政治学说述略；二、马克思的批评。兹依次说明。

(一) 康德的伦理及政治学说

诚如康德自己所说一样,他的伦理观点,根本是反乐利主义的(anti-hedonistic)。他的看法和霍布士、斯宾诺莎等,都不相同。霍布士等都认为:人们的行为是受"欲求"(desire)所支配的;而康德则认为:不管实际上的行为受什么支配,凡是正当的行为,则只以"理性"(reason)为引导。他也认为:人性一半是本能的(instinctive),另一半是理性的(rational)。他在伦理学中正如在纯粹哲学中一样,都由两个对立的观念出发。在他的《纯粹理性批判》[8]一书中,有经验的和先验的(a priori)知识的对立。同样,在他的《实践理性批判》[9]一书中,则有感觉的嗜欲(sensuous propensity)和理性的原则(law of reason)之对立。[10]

对于一道德律说,康德以为只有理性是根本的。他认为"意志"(will)就是实践的理性,故其伦理学说乃从"善意"(Good Will)一观念出发。他认为除了"善意"外,没有一件物事是本质上善的(intrinsically good)。何谓"善意"?"善意"就是一个习于正当的所欲(A good will is one that habitually wills rightly),"所欲"一词,系采自《论语》中之"从心所欲不逾矩"。(如果把"矩"限于道德的准绳,则"善意"正是这种意思。)一行为之善否,须视其动机如何。只有动机是善的,才是善的行为;至其结果如何,则比较是次要的问题。

但是,用什么标准来评判一动机是善的或是恶的呢?康德认为:一行为之动机,若不导源于冲动,而发于一种之原则,则此动机即是善的。所谓"发于一种之原则"云者,即行为者对于该行为有理性的解释。但是我们可以接着再问：这个特殊的，能够普遍实行的原则或箴言是什么呢？康德告诉我们：这原则或箴言，即是无条件的道德命令（categorical imperative）。在康德看来，所有的命令，都是指示"应该"实现物事的一种客观的实践法则。但无条件的命令，却和有条件的命令（hypothetical imperative）不同。其不同乃在："若某一善行只是达到另一件事的工具，则此命令即为有条件的。但若此行为本身即是善的，是导源于一个合于理性的意志原则的，则此命令即为无条件的"。⑪最基本的命令或道德律，即"按着一个你自己认为可做一普遍公律的原则去做"（"Act on a maxim which thou canst will to be a law universal"，欲了解这句话，可用一消极的命题表示其意义，即"己所不欲，勿施于人"，同时，这句话亦即可译为："己之所欲，乃施于人"）。⑫固然康德知道：这是一个形式的原则；但他以为非形式的即不能普遍地应用。因为在他看来，善"与乐（the pleasant）是不同的，后者只以源于主观的感觉来影响意志，它只可对这个或那个人的官觉应用；而非一可应用于一切人的理性原则"。⑬

康德又用"义务"（duty or obligation）观念来说明"善意"，故他认为"义务"在伦理学中，也很重要。由此而言，他和休谟（Hume）及斯宾诺莎都不相同。在后者的著作中，几乎就没有提到"义务"的字样。康德对"义务"一词的解释，和边沁也不同。在边沁看来，如说一人"应做"或"有义务做"（is obliged to perform）某种行为，这只单纯地表示：如果此人不做那种行为他即必得到苦痛，如此而已。边沁认为：把"义务"这个字当作名词用，乃表示一虚拟的物体（fictitious entity），而此名词与苦和乐是不能分开的。⑭康德的见解，则恰好与此相反。他认为：一义务行为之所以有道德的价值者，并非视此种行为所达到之目的如何;反之,乃视其受某种道德原则所决定。故该行为之有无道德价值,亦不靠该行为之目的的实现与否,而靠其所依据之无用物欲的意志原则。[15]用黑格尔解释康德道德哲学的话说,即:"纯为义务而尽义务"。[16]康德本人亦认"义务"为一先验的概念。[17]他认为:一种伦理学说绝不能建筑在经验的基础之上。他很雄辩地证明:所有由经验立场(如用美满 perfection 与快乐等)来建立道德律的企图,都终归失败。[18]伦理学最后必须建筑在形上学之上。[19]所以康德主张:道德原则不是建筑在人性上面的,它乃是先验的原则,犹如纯粹数学及纯粹逻辑中之原则一样。但由此先验的道德原则中,却可推引出:可以通用于具有理性的人类之实践规则。[20]这些话充分地可以表明:他在伦理学中乃是一个理想主义者,一个形上学家。康德自己也知道他的地位;他所以坦白地自认为是个反乐利论者,就是此故。[21]

康德这种玄想的和理想主义的态度,也影响了他的政治学说。[22]他在政治学说中,也认为:实践的理性占重要的地位。政治社会的组成,照他的看法,乃是由于:使人们之"反社会的社会性"(universal sociability),[23]适应其自己理性的"普遍联合意志"(universal united will)。[24]政治社会中的宪法,就正是理性自己所欲求的东西。因为人有理性,故将来也可能有一个"大同的政治制度"(universal cosmopolitan institution)。政治中所谓"理性",乃是纯粹内在的造法规则(pure innate law-giving);它与经验(如快乐)无关,并且也不是由经验推出来的。康德认为快乐一观念,不能当作立法的原则。因为没有一个人能替旁人规定什么是他所认为快乐的。所以,实践理性在政治社会中的功能,便是以法律来保持人们的自由与平等。法律和道德一样,他也有最高的箴言或命令。此箴言或命令即："表现于外的行为，应遵循一公律而行：俾使你的意志之自由运用，可与他人的自由并行不悖"。[25]这乃是理性所宣布的规则，无须并且也不可能再有证明。[26]政治权威的工作，即在用制造及执行法律的办法打破"自我的意志"(self will)而"迫使个人服从一普遍通行的意志；依着这个意志，人人都可以自由"。[27]

上述可以代表康德在伦理及政治两方面的意见。以下我们再看马克思怎样来批评这种学说。

(二) 马克思的批评

黑格尔在他的《历史哲学》及《精神现象学》各书中，都批评过康德的伦理学说。他的批评采取一种纯粹抽象的观点。马克思对康德伦理及政治学说的批评，却与黑格尔刚刚相反；他采取一纯粹实际的观点。康德在政治上的主张是一种自由主义。马克思认为：德国资产阶级发展的历史，乃是批评德国自由主义的关键。所以，马克思先把自法国革命后德国资产阶级发展的历史，考察一下；然后又分析康德"善意"的理论和这种史实的关系。

第一，德国资产阶级发展的历史。[28]十八世纪德国的资产阶级，和英法的资产阶级比较，显然是无力的，艰困的。当时法国的资产阶级，已因发动历史上稀有的革命，而取得了政权，并且称雄于欧陆。而在政治上早已解放了的英国资产阶级，则还从事于工业的革命。他们在政治上宰割了印度；在经济上，他们的势力遍及于全世界。反观德国的资产阶级，则其势力之小，几不能与英法相比。他们所关切的只是微小的利益，他们无力把这种微小的利益，发展成为举国一致的利益。这种微小的、地方的利益,一方面和德国资产阶级之地方或省域性有关,另方面和他们的“大同主义”的幻想也有关系。我们试一观自宗教革命后,德国资产阶级的历史,便可明白。

自宗教革命以后,德国资产阶级的发展,仅可以说是一种小资产阶级性质的发展。因为他们在经济上没有力量,所以他们并没有达到经济集中的地步。经济上既未集中力量,故其在政治上也没有集中的和庞大的力量。因为政治力量的集中,必先有人口、生产手段、财产等项的集中。[29]马克思说:“在一个缺乏一切经济集中条件的国家里,如何会有政治的集中呢?”[30]德国的资产阶级既然在经济上没有力量,自然便会有外国人剥削的事实。于是,荷兰这个商业发达的国家,除了德国两个口岸(Hamburg 和 Bremen)以外,便垄断了整个德国的商业。德国的资产阶级虽然数目众多,但是却没有力量来反抗这荷兰资产阶级的剥削。荷兰的资产阶级显然是比较进步的资产阶级。在拿破仑(Napoleon)的宰制之下,德国的资产阶级更发展了他们小的剥削(usury)和大的幻想。他们在彼时异常憎恨拿破仑,但却十分地钦羡英国。其实英国又何尝不是在相机等待来左右剥削他们呢!德国的统治者当时自以为是在反对革命(著者按:指法国革命),是在争取“合法的原则”(Principle of Legitimacy);实则,他们也不过只是英国资产阶级收买了的走卒。

但是,我们要知道:也正是因为有强烈的外国竞争,因为受世界贸易的影响,所以德国资产阶级之微小的、分散的利益,才会在某种形式之下,集中起来。自 1848 年后,德国的资产阶级便开始想保护他们的共同的利益;——他们才成为全国性和自由主义性质的了。他们需要关税,也需要一个宪法。——总之,他们到了这个时期，已发展到法国资产阶级在1789年时候的那种情形了。

第二，由其社会经济背景中来批评康德的伦理及政治学说。马克思首先指出：康德的伦理及政治学说，是不能实践的（impracticable）。“善意”一观念，乃是抽象的概念。何以是抽象的呢？因为它只是一个理想化的意志，不是人们之真正意义的意志。马克思认为：康德把人们之“物质动机化了的意志”，给改成了一个自决的“自由意志”，一个“意志自身”（will in-and-for itself）。[31]此“自由意志”、“意志自身”若是有所欲求的话，它只是欲求应该做的事情。[32]康德既把人们之物质动机化了的意志给改变成了“善意”，于是他希望并且“假定今后总有一天会有‘善意’的实现，会有此实现与个人的需要及欲求间的调协”。[33]如果一般人都切实遵行无条件的命令，康德以为那便可以实现上述的调协。[34]但这正表示：“善意”自身根本上只是一个“道德的设准”（moral postulate）。[35]马克思认为：如果把这个抽象的概念应用于事实上，它显然地不会有什么用处。这理由很简单：即实际上的人并没有康德所谓“善意”，而只有一个物质动机化了的意志（materially motivated will）。亦即，实际上的人只是意欲利，而非意欲道德上的“应该”。

因为忽略了人性中之物质的动机，所以康德的伦理及政治学说，便无补于实用。世间很少有人能奉行他那个无条件的命令；康德希望人们普遍地遵行这个命令，乃是不可能的事情。既然如此，则所谓“善意”的实现，及其与个人欲求间的调协，是永远不会成功的。由此方面言，可以说康德不了解实际的人性。但在另方面，康德并不失望，“康德即以终无效果的纯粹的‘善意’来自慰”。[36]他告诉我们说：“道德的原则并非基于人性的本质之上，这些原则本身乃是仅存的超经验的东西”。[37]康德的意思是说：即使“善意”一观念永久只是无人实践的超经验的观念,也没有关系;但只要你做善行,则必根据"善意"。"善意"永远是道德行为的基本条件。这正表示:无论实际的人性如何,只要你想做善的行为,则必须根据"善意"才行。实则这种聊以自慰的见解,并不能减少康德学说在道德哲学中的困难。因为:这只表示他故意地(consciously)忽略实际的人性,与上述之根本不了解实际的人性不同。但在实际应用上,一伦理及政治学说,只要忽略了人性,无论有意地也好,无意地也好,它必不会切于实用。

其次,马克思以为:最后的分析,"善意"不过代表某一阶段之"虔诚的希望"[38]而已。他说,十八世纪末年德国的情形,都切实地反映在康德的《实践理性批判》[39]一书中了。他的"善意"一观念,确切地符合德国资产阶级之无力的、艰困的状态。德国的资产阶级限于他们之地方的、有限的经济力量,故只能以"善意"作为人生哲学,以"善意"来应付事情。[40]因为他们没有大的经济力量,所以他们也不能取得大的政治权利。正如德国的资产阶级用道德的尺度"良心",来争取政治的自由一样,康德也用"义务"、"善意"等观念,来建筑政治哲学的体系。由此点言,马克思认为,康德确可谓他本阶级的发言人。马克思在这里又发见:康德所代表的德国自由主义,和法国的自由主义,大不相同。法国的自由主义,乃根据法国资产阶级之物质动机化了的意志;它的目的乃在:给已经具有政治、经济发展的资产阶级,求得实际上的政治自由。反之,康德的自由主义,则用道德的概念,来讲政治自由,这根本不会有实际的政治意义。康德自以为,他的学说具有一种"理论上普遍的有效性",并且以此为满足。但在马克思看来,这不过是一种"大同的妄想"(cosmopolitan pretension),[41]事实上是办不到的。可是这却正表示康德学说之抽象性质。

实则,抽象乃是德国政治思想的通病。马克思说:"德国人在政治中所'想'的,乃是他国人民所'做'的事情。"[42]这也没有什么费解的,因为:"德国政治思想的抽象性及狂妄性,永远是和她片断的,发育不健全的现实,步调一致的"。[43]

第三,马克思的批评与黑格尔的批评之比较。马克思对康德见解的批评,最好和黑格尔对康德的批评,比较一下。这样才能看出马克思批评的优点所在。黑格尔在他的《历史哲学》[44]一书中,承认:康德在政治思考中已经能把"意志自身或抽象的意志"当作基本的概念了。在黑格尔看来,这是对的。他同意康德下面的话:"除非不欲求(will)其身外的,外在的物事,意志是不会自由的(因为如果欲求的话,他就变成依赖的了),意志只欲求其自身,——即欲求意志(wills the will)……意志把他自身作为对象,才是一切正当行为(Right)与义务的基础。"[45]他又认为只有:"纯粹为正当而行正当,纯为义务而尽义务",[46]"应该为义务而尽义务",[47]才能产生道德的行为。

指出了这些特点之后,黑格尔接着说:"在我们德国人,这种看法只表现在一种安静的学理之中;但是法国人却希望给它以实际的效果"。[48]但黑格尔却不以为然地批评法国人道:"可是法国人却是性急的(lls ont la tête prés du bonnet),[49]所以他们只是把自由问题,做一个'表面的解决'"。[50]黑格尔对于"自由的原则何以在德国只具一个形式"?[51]这个问题,并不用德国的实际情形来说明。反之,他却用他的伦理的宗教的信念来解释。他说:"这个哲学的形式原则,在德国遭遇到一个:使'精神'(spirit)能得到内在满足,并且使'良心'能镇静的具体的现实世界。"[52]因此,德国人就自然不会像性急的法国人一样地,去求自由的实现,而只安于欣赏自由的形式原则了。德国当时是个什么样的世界呢?黑格尔认为:是个新教徒的世界,是自我意识(self - consciousness)已实现到绝对高峰了的世界,并且新教理论已在人们心中取得了安静的信念![53]

前面已经说过了:马克思用德国现实情形,来说明德国政治思想之抽象性质。他认为德国政治思想所以不能达到实践的水准,完全因为限于德国落后的资产阶级的实际情形。在德国思想中,固然讲抽象的"善意",但事实上只有某一阶级之"物质动机化了的意志"。它也有世界大同制度及永久和平(Perpetual Peace)[54]的幻想;但是若没有经济的基础,大同制度是不会实现的。若是各阶级及各国家间仍有经济的矛盾存在,永久和平也是不会成功的。特别是,基于经济背景的主权国家(sovereign states),[55]更足妨碍世界永久和平计划的实现。马克思认为这种讲法,都是空想。而黑格尔则认为:本即应该空谈形式的原则及抽象的概念。由此可见他们态度的不同;而这不同,正表示一个唯心史观论者,和一个唯物史观论者的差别。

"当法国人和英国人至少使他们的政治幻想接近现实时,德国人却只在'纯粹精神'的领域中转旋;只以宗教的幻想为推动历史的动力"。[56]一般评论,以为黑格尔乃是,有意或无意地,[57]替当时德国政治制度辩护的学者;而马克思则要求一种变革现社会秩序的行动,其根本目的乃在取消社会的阶级。只有在此种意义上,我们才能理解:他评《黑格尔法理哲学》一书时所说的那句话:"批评法国玄想的法理学,只有用'实践'"![58]

马克思认为:急进的理论或批判,可以变成一种物质的力量。"所谓急进者,即从根底上把握一物事"。[59]"人类的根源即是人自己”，[60]故马克思批评的性质，一方面在揭明资产阶级对现实的幻想及理想化的观念；另方面则以研究现实存在着的人们之生存情况，来了解他们的活动。他绝对反对抽象的理解。他认为：德国资产阶级在伦理及政治方面的幻想及奢望是无用的，绝对不会成为一种物质的力量。他们的理论家之所以有“善意”这类理论者，纯系其所属阶级之生活情况的实际反映。

三 评边沁的功利学说

其次，我们便要看：马克思对于边沁的功利学说，有什么批评。本节分两部：一、边沁功利学说之一般的性质；二、马克思对于这种学说的批评。

（一）边沁功利学说的一般性质

边沁认为“苦”（pain）与“乐”（pleasure）是人类行为的两个主宰者（sovereign masters）。无论在“应为”或“拟为”的事项中，我们都受这两种力量的支配。他说：“在所有我们的动作、言谈及思想中，它们都在支配着我们。”[61]功利学说即承认此二主宰者支配我们的行为。照此种学说：我们对于任何一种行为赞美与否，须视其能否增加我们的快乐而定。所谓“任何一种行为”，边沁之意既包括个人的行为，也包括政府的行动。[62]所谓“功利”者，即任何物事中能增进我们福利、快乐及善的性质；此种性质又能阻止祸害、痛苦及恶的发生。若行为者是社会人群，则对此社会人群的功利，乃是应取得人群的快乐。若行为者是个人,则对此个人的功利,乃是应取得个人的快乐。[63]但“社会”乃是一个虚拟的物体,它是分散的个人所组成的。所以“社会的利益”乃是“许多组成该社会的分子”之利益之合。边沁认为:若空谈社会的利益而不详究个人的利益所在,是不会有实际效果的。讲到一个人的利益,边沁认为:一个人的利益所在,即在获得“能增加个人快乐之综合”的物事,或获得“能减少个人苦痛之综合”的物事。故谓一行为合于功利原则者,即该行为能增加个人快乐之趋向大于其减少快乐之趋向。若把功利原则当作量度政府行为的尺度,则合于此原则之政府行为乃是:该行为增加社会人群快乐之趋向少于其减少人类快乐的趋向。他认为功利主义的原则,乃是理性的判断。其根本要义,即以“最大乐至最大量”的原则,为伦理学及政治学的究极标准。

边沁又把许多伦理学中重要的概念,如“应该”、“正当”、“不当”等,都用功利来解释。一行为如果合于功利的原则,它即是我们“应该”做的行为;或至少不是“不应该”做的行为。也可以说:至少这样做是“正当”的,绝不会是“不当”的行为。他以为“如果这样解释,‘应该’、‘正当’、‘不当’……,这些名词才有意谓;否则,它们便不会有意谓”。[64]义务不过是一个虚构的物体,反之,快乐与痛苦才是真实的事体。我们在这里可见边沁与康德迥然不同。康德绝对否认以快乐一概念为道德原则的基础;他主张:只有基于“善意”的,或由“善意”推出的义务,才能做道德原则的基础。边沁的主张则恰好与此相反。故康德的学说叫作直觉主义(Intuitionalism),而边沁的学说叫乐利主义(Hedonism)。这两学派乃是道德哲学中的两个主潮。

（二）马克思对边沁功利学说的批评

本段亦分两步叙述。第一，马克思对边沁以前功利学说发展史的分析。第二，马克思对边沁功利主义的批评。

第一，我们先讲马克思分析边沁以前功利学说之史的发展。他认为古代之“自我享乐”（self-enjoyment）哲学是功利学说的始祖。此说道源于色伦邦学派（Cyrenaic School 为 Aristippus 所倡），[65]故希腊人乃是这种学说的实行者。古代希腊社会的特殊性质，使他们特别有享乐的能力。但事实上，马克思认为：他们享乐的形式与内容，都受当时社会的一般情况所限制，并且是当时社会之矛盾情况的反映。究极地分析，享乐主义的哲学（Philosophy of Pleasure），不过只是某一种具有享乐特权的阶级（pleasure-privileged class）之“聪明的语言”（clever language）而已。在希腊社会中，那个阶级便是以奴隶为财产的公民阶级。因为他们能驱使奴隶，使令奴隶来给他们劳作，所以他们才能形成一种不事生产而参加政治、社会等等活动的公民阶级。这样，他们才成为了所谓具有享乐特权的阶级。

近代享乐主义的哲学，起始于封建制度的没落，及封建地主贵族变成绝对君主专制下的王廷贵族之时。这些贵族仍然把享乐主义当作他们的人生哲学。这种态度明显地表现于当时的自传文字、诗篇及小说之中。但享乐主义的人生哲学，只是在近代资产阶级之文学代表手中，才变成了一种真正的哲学。这些资产阶级的文学代表都受了与王廷贵族同样的教育。他们也享受了与王廷贵族同样的生活方式（mode of living）。但除此之外，他们又接受或承认资产阶级对于物事之比较一般的看法。这种“比较一般的看法”是基于资产阶级的之比较一般的存在条件的。因为此原因,这些作家被这些阶级普遍地欢迎。固然,他们欢迎这些作家是站在不同的观点之上的。贵族欢迎他们,因为贵族认为享乐学说乃是主张:把享乐只限于第一阶级(first estate),只有他们的生存条件才配享乐。资产阶级也赞成这种享乐主义,但他们却主张应把享乐普及于所有的人。可是这些作家却把个人由其实际的生存条件中给抽出来了,忽略了个人的生存条件而谈个人。因此,这种快乐学说,就变成了腐败的、虚伪的说教了。在此后的发展中,资产阶级推翻了贵族,转而与无产阶级公开地冲突。于是贵族因缺乏了实力而变成祈祷式的,虔诚地“宗教的”了,而资产阶级则变成了庄重地道德的,并且在理论上富裕的了。他们何以如此呢?因为道德、理论,到了这个时期都变成维护他们利益的工具了。但在实践中,我们须知:贵族阶级固然未曾稍稍放弃享乐;而资产阶级则竟把享乐给变成一个官样的经济范畴——奢侈品了。

享乐哲学的发展史既已说明,马克思进而陈述:功利学说或剥削学说(Theory of Exploitation)乃是古代及中古以来享乐哲学之最近代的形式。他认为:各种形态的功利学说与资产阶级之不同的发展时期,有密切关系。功利主义根本假定人们的许多关系,都可以包括在一种功利的关系之中。这种说法显然是不合理的。这种形上学的抽象理论的来源,乃是根据下面的事实:即在近代资产阶级的社会中所有的关系都被收纳于抽象的金钱及商业关系之中了。此说导源于英国第一次及第二次革命时期。霍布士、洛克都是最初的创始者。他们两人都在荷兰居住过一个时期,他们对于荷兰资产阶级的发展,知道得很详细。他们也目击英国的资产阶级如何打破其地方的、省限的藩篱，而发展到较大规模的制造品、航运以及殖民事业。特别是洛克，他著书的时候适当股票交易公司发生，英格兰银行成立，及英国在海上称霸的时期。在霍布士和洛克两人的学说中，尤其是在洛克的学说中，剥削的理论是充满了直接的经济内容的。

但功利学说在重农学派的手中，才得到真正的、积极的经济内容。政治经济学在他们手里才第一次变成了一种特殊的科学。[66]在海尔维夏斯(Helvetius)及哈尔巴赫(Holbach)的著作中，这种理论又得到了一种理想化的解释。这两个人，除了英国的理论及荷兰与英国资产阶级的实际发展外，还有法国资产阶级仍在争取自由发展的实际经验。十八世纪之普遍的商业精神，已经以玄想的方式紧握了法国的各阶级。法国当时苦于：政府的财政困难，以及增加税率的争论。而巴黎在十八世纪是唯一各国人士聚会接触的，具有世界性的城市。因为有这些事实为背景，兼以法国人的普遍的性格(universal character)，都会给予海尔维夏斯及哈尔巴赫学说以一种普遍性质的色彩；但是他们的学说里却缺乏英国人的经济的内容。对于这一点，马克思仍然以社会经济的背景来说明。他认为英法思想家之不同，其原因即在：法国的经济情形落后，而封建地主财产仍有很大的势力，则思想家的理论自然受此情形的限制。他们都为封建的观念所限制，他们因此便认为土地财产及农民劳动二者，乃是决定整个社会组织的生产力。因此，“一个在英国人中只是由单纯观察事实而来的学说，在法国人就变成了一个哲学系统了”。此即因为英国的工商业发达，它已成为一个功利主义的世界；而法国因受经济发展落后的限制，只有空想地把功利主义当作一个哲学的系统。不过法国功利学说乃是代表法国新兴的资产阶级之一种幻想,他们剥削的贪欲,乃是剥削脱离旧的封建束缚之个人的欲望。在十八世纪时的资产阶级看来,由封建的束缚解放出来,乃是个人求自由发展(指竞争)的唯一办法。当时的作家,在理论上也表现这种意识,这乃是和资产阶级的实践有密切关系的。这种意识是什么呢?根本地说,即是把相互剥削(mutual exploitation)当作所有的人们间的一般关系。这确是一个显明进步的表征。对于封建制度而言,这确是在政治、宗教、道德等方面的一种开明的进步。

第二,我们现在看看马克思如何批评这种功利学说或功利主义。他认为边沁的学说乃是他的时代的反映;同时他也否认功利学说的正确性。

一则,由上述我们已知:海尔维夏斯和哈尔巴赫所提倡的功利学说,是缺乏积极内容的了。他们的功利学说并非表现"把所有的关系都变成剥削关系的事实,而只表示这种希望"。[67]这也是很自然的现象,因为在他们的时代,法国并没有像边沁时代的英国那种发达了的经济条件。既没有实际的经济条件,则谈剥削谈功利自然都不必能成为事实,而表示一种希望了。一般讲边沁功利学说的人,都认为边沁的学说是根据海尔维夏斯的。马克思也曾说过:边沁的功利说不过是"海尔维夏斯及十八世纪在他以前的法国作家已经说过的理论"[68]的一个"摹本"而已。但是马克思却认为:边沁的功利说和法国学者的功利说的意义,是迥乎不同的。

海尔维夏斯和哈尔巴赫理论的真正内容,也不过只是绝对君主制时代文人学士之生活形态的翻译而已。[69]这些感情的、道德的译语,便是法国功利学说整个的内容。把这些玩意儿播弄完了之后,功利说唯一可发展的,便是下面这个问题:"怎样去剥削个人及人们的关系呢？”[70]回答了这个问题的是政治经济学。所以功利说可能的进步便在吸收政治经济学的理论。经济学说中已经证明：基本的剥削关系乃是受整个生产所决定的，是独立于个人意志控制之外的。这种基本的剥削关系既是不靠个人意志而独立的，那么功利学说对实际亦发生不了什么作用。它只是对着个人及其相互间的基本剥削关系，加以“玄想”（speculation）罢了。这种剥削的关系，即某一时代某种个人对另外的个人间之私的剥削。[71]

边沁对于功利学说的贡献，在马克思看来，即他把所有现存的关系都给整个地容纳在功利的关系之中了。[72]边沁之所以能把所有的关系都整个地纳入功利关系之中者，马克思以为也是社会经济的进步使然。固然，自重农学派以后，政治经济学曾经把政治的及法律等等的关系也吸收进“政治经济学”中去。可是他们却认为：这不过是从某一方面讲，政治及法律的关系都可以用经济的关系来解释而已；他们同时也认为离开了经济学，政治及法律诸关系仍有其自己独立的意义。[73]至于边沁把所有的关系纳入功利的关系之中，则是无条件地把功利主义的关系升高，使其变为一切关系的内容。他所以能如此者，亦因“自法国革命及大工业发展后，资产阶级已不仅为许多阶级中之一阶级，它已步入一新阶段，在此阶段中它的存在条件即是整个社会存在的条件”[74]了。资产阶级既然如此强大有力，它自然即可以把功利的关系普遍化了。换言之，边沁的功利学说已经是表现他本时代的英国资产阶级的“事实”，而非如海尔维夏斯及哈尔巴赫的作品，只表示法国那种未发展的资产阶级的“希望”了。以上是马克思说明边沁的学说如何是他时代情形的反映。

再则，马克思对功利学说本身的批评。在叙述马克思对边沁功利说的批评以前，边沁有一句意味深长的话，我们可以引来印证。边沁说："当一个人要反驳功利原则的时候，他的理由本身，即使他个人不自觉，也是根据功利原则的。他的论证若果能证明一些事理的话，并不能证明功利原则是错的，而只证明：在他所认为这种学说的应用看来，功利原则是用错了。一个人想要移动大地是可能的吗？若是可能的，他必须先找另外一个大地以为立脚点。"[75]我们由这几句话中可以看出：边沁对他功利学说的正确性是如何的坚信！绝不能说这原则是错的，只能说它应用的错，但应用的错并不是原则本身错。功利原则好比大地，反对此原则者犹如站在大地上企图来移动大地。由力学的观点言，这根本是不可能的事情。假如说可能，则反对者必另外觅得一个大地以为立脚之处，然后再来移动这个大地。但是，边沁虽然没有说出口，这也同样是不可能的事情。功利原则本身，任何人都无法反对。

边沁的话是不是过分地狂妄呢？假如我们把马克思批评他的话拿来与功利原则本身比较考察一下，觉得边沁的话是有道理的。他深知：他的功利原则是建筑在经验的立场上，因此任何根据实践立场对它下的批评，都不能根本打倒它，亦即都不能否弃其经验的立脚点。固然，如果站在超经验的立场来批评它，又当别论。例如康德派的哲学家批评它，我们可以说批评者确是站在（假如不是另一个大地的话）另一个立场上面。至于马克思对边沁的批评则是绝对地经验的、实践的，所以马克思并不是想：根本推翻边沁经验的立场，而采取其他非经验的立场。由此观点言，边沁的话却有先见之明。马克思对边沁的批评，并没有找到"另外一个大地以为立脚点"，他只是主张："快乐"应当被一切存在于这个大地上的人所享受；而不应被某些具有"享乐特权"的特殊阶级所独享而已。当然，马克思的批评是有重大意义的。可是马克思却承认功利学说具有唯物的意义。他说：“不错，功利学说发挥了所有存在着的关系都与经济联系的概念”；[76]也可以说它发挥了“用物质的需要及满足此诸需要的方法来说明社会关系”[77]的概念。一般地说，边沁用经济的概念来说明社会的关系，是与马克思相同的。

马克思虽认为边沁创发整个社会关系都与经济有联系之说，然而他却说：边沁把这种说法讲得太“片面且狭隘”了。[78]因为讲得片面与狭隘，所以他的学说自然就“限于狭小的视界”[79]之内。反之，马克思的学说，是在贡献一个比边沁更急进的看法。所谓更急进者，即马克思认为边沁有意或无意地注意资产阶级的利益，而马克思则以无产阶级的利益为前提。此点为马克思和边沁的基本差别；而此种差异也都反映在他们相互的学说之中了。我们试细看马克思用什么理由来说边沁的学说是“偏狭的”、“片面的”。

首先我们要注意的，是马克思在《资本论》中批评边沁的话。他说：“若想知道什么东西对于狗是有用的，我们必须先知道狗的性质（dog nature）。这种性质不是由功利原则中所可获得的。把同样的研究应用于人类，则若想依照功利原则对于所有的人类活动、运动、关系等加以判断的人，必须先熟知：一般的人性（human nature in general）；然后还须熟知：表现人性的方式在每个历史时期中的变化。”[80]这是马克思对此问题的基本态度。他接着又说：“但边沁对此，却是没有成绩的。他用他那干燥的、单纯的方法，把近代的小资产阶级，特别是近代英国的小资产阶级，假定为标准人（normal man）。对这种可疑的标准人及其所存在的世界，似乎是有用的东西，便是绝对有用的了。边沁即用这个尺度去度量一切过去、现在及未来的事情……”[81]

假使对边沁公正的话，我们认为边沁对于所谓“一般的人性”，也知道一些。因为他明确地告诉我们：苦与乐是人类行动的两大支配者。边沁所缺乏的，乃是对于“表现人性的方式在每个历史时期中的变化”的认识。在马克思看来，一个欲产生实际效果的学说，一定不能忽略关于人性的各种特征。如果像康德那样，只假定一个普通的人性（a human nature as such），这不过是制造出来一个抽象的概念而已。可是，假如像边沁那样，把人性限于超乐和避苦的水平线上去了解它，则至少在实际应用上，也不过等于说出一个抽象的名词而已。因为在实际应用时，这些心理学上的老生常谈，对理论及政治科学都无大补益。何以呢？因为这两种科学所讨论的人类行为，绝不只是心理的，同时也是社会的、经济的、政治的等等。在马克思看来，“人并不是站在世界之外的抽象的动物”；[82]人乃“不仅是一个社会的动物，而且是一个只有在社会中才能发展成为个人的动物”。[83]当作了一个社会的动物，人们表现其性质的方式，乃是在各历史时期都不相同的。[84]由此可知马克思已经不把人性看成一个内在的、现成的模型了。他暗示：人性乃是一种能够对利益刺激发生反应的，受社会经济条件所决定的，一种心理状态（mental state）。一资本家喜欢剥削工资劳动者的剩余劳动。他所以有此剥削欲者，乃因为他是一个资本家，他受社会经济条件决定的性质，使他自然要如此。同样，一个劳动者也有他受社会经济条件所决定的性质。他要争取固定工时，合理的工资，工人结合，甚至于公开的革命；此无他，这都因为他们这样做可以实现他们自己特殊的利益。由此可见，历史演进到资本主义社会的阶段，因受经济条件的限制，已使人们满足或表现其本性的方式，大为不同了。资本家和劳动者绝对不能一例相绳。马克思认为边沁对此问题，实在陷于进退两难的苦境。一、他也许真的不知道人性表现方式在各历史时期变化的事实；二、不然，他也许明知道这种事实而仍然故意把“近代英国的资产阶级”视为所谓“标准人”。这两个选择毫无疑义地是在两个恶当中的选择。

如果边沁真的不知道人性表现方式在各历史时期的演变，那么，边沁虽自谓研究实际的人性。[85]但实则是不顾及个人在社会经济上的不同而讨论人类。[86]其结果他便不懂“享乐的哲学”和“实际的快乐”[87]间的区别；也不知“功利”和受社会经济条件限制的“实际的功利关系”的区别了。也即是说：边沁不知道“快乐的经验”[88]与“阶级”的关系；不知道：人们享乐的形式与内容是永远受他的阶级地位限制的。并且，只认为快乐是可欲的（desirable）或实欲的（desired）和取得快乐的“能力”，也纯然是两件事。取得快乐的能力，在马克思看来，不是旁的，只是经济力而已。在资本主义私有财产制的社会中，有经济力的人便能享乐，没有经济力的人便不能享乐。所以，在事实上，快乐只有被一社会中某些具有享乐特权的阶级所享受；而快乐哲学，也只不过是此阶级的聪明的话言[89]。边沁的功利学说既忽略了这些特征，则假如他若自以功利原则是可以普遍应用于现社会所有人们的哲学，那么，他的学说就变成纯粹的空话[90]了。换言之，假如边沁认为功利原则可以普遍地应用于“所有抽象的个人，而不计其实际生活情形”，[91]则功利学说便是一个毫无实际价值的“腐败的及虚伪的说教”[92]了。

但假如边沁有意地把英国小资产阶级当作“标准人”，而且认为：只要是对于这一阶级有用的，便是绝对有用的，便是有用的自身（useful in itself）的话，那么，马克思认为他便是“限于资产阶级的假定”[93]之内了。这也是自然的现象，因为“资产阶级自然认为他在其中占优势的世界是最好的世界”；[94]而边沁乃是小资产阶级的代言人，他也有“小资产阶级的心理状态”，[95]所以他也“习于认为在他鼻子前面的利益是真实的利益”。[96]故边沁虽自言系考虑“普通经验之事实”，[97]而实则已经具有小资产阶级的偏见了。最后的分析，他的功利学说只不过代表具有“人剥削人”现象[98]的资本主义社会中的实际功利关系而已。

注　释

①即 Die deutsche Ideologie，今见 *Marx-Engels Gesamtausgabe*, Abt. I, Bd. 5。1938 年该书经 W. Lough, O. P. Magill, R. Paseal 等译成英文，在伦敦出版。原书之第二部，被译者删去。该书第二部适为批评康德、边沁之作。唯美国 Sidney Hook 教授将马克思批评康德、边沁两段译出，附录于他所著的 *From Hegel To Marx* 一书之后。不能读德文原文的读者，可以取阅。

②亚里士多德有 *Ethics* 及 *Politics* 两种著作，分别讨论此二种问题。再参阅 F. Pollock, *Introduction to the Science of Politics*, pp. 55–59。

③Kant, Perpetual Peace, p. 162. Appendix, Essay on The Disagreement between Moral and Politics, etc. (London 1903)

④Ibid., pp. 182–188.

⑤参阅 A. D. Diccy, Introduction to the Study of Law and Opinion in England。可见边沁的功利原则对英国立法的影响。

⑥Bentham, *Principles of Morals and Legislation*, p. 2.

⑦Ibid. Also his Theory of Legislation.

⑧英译名 *A Critique of Pure Reason*，译本甚多。

⑨英译名 *A Critique of Practical Reason*, Tr. by Abbott。

⑩对此加以阐明者，有 Ueberweg, *History of Philosophy*, *from Thales to the Present Time*, Vol. II, p. 180. Eng Tr。(London 1876)

⑪Kant, *Metaphysic of Morals*, Cf. Abbott's Tr. of Kant's *Critique of Practical Reason*, etc., p. 31.

⑫Ibid., p. 30.

⑬Ibid.

⑭Stephen L., *The English Utilitarians*, Vol. I, pp. 248-249.

⑮Kant, *Metaphysic of Morals*, Cf. Abbott's Tr. of Kant's *Critique of Practical Reason*, etc., p. 18.

⑯Hegel, *Philosophy of History*, Eng. Tr. p. 462. (London 1872)

⑰Kant, Ibid., p. 23.

⑱Ibid., pp. 23-24.

⑲Ibid., p. 26.

⑳Ibid., p. 27, Note.

㉑关于康德是一个形上学家，看 G. E. Moore, *Principia Ethica*, pp. 110-113。

㉒可于他的 *Philosophy of Law*; *Metaphysic of Morals*，及 *Principles of Politics* 中观之。

㉓Kant, *Principles of Politics*, pp. 10-14. Tr. by W. Hastie. (Edinburgh, 1891)

㉔Ibid.

㉕Kant, Introduction to *The Science of Right*, Cf. his *Philosophy of Law*, p. 46. Eng. Tr. by W. Hastie. (Edinburgh, 1887)

㉖Ibid.

㉗Kant, *Principles of Politics*, p. 14.

㉘以下的材料都是马克思自己的话，本书著者不过把它们重新排比一下而已。

㉙关于政治集中与经济集中的关系，马克思在另外的地方也说："The bourgeoisie keeps more and more doing away with the scattered state of population, of the means of production, and of property. It has agglomerated population, centralized means of production, and has communicated property in a few hands. The necessary consequence of this was political centralization." *Communist Manifesto*, Cf. Burns, *Handbook of Marxism*, p. 28.

㉚Marx & Engels, *Die deutsche Ideologie*, Cf. *Marx-Engels Gesamtausgabe*, Abt. I, Bd. 5, p. 176.

㉛Ibid.

㉜Ibid., p. 177.

㉝Ibid., p. 175.

㉞Marx, *Zur Kritik der Hegelschen Rechtsphilosophie*, Cf. Mayer, *Historische Materialismus*, Bd. I, p. 272. Or *Selected Essays*, p. 27.

㉟Marx, *Marx - Engels Gesamtausgabe*, Abt. I, Bd. 5, p. 177.

㊱Ibid., p. 175.

㊲Kant, *Metaphysic of Morals*, Cf. Abbott's Tr. p. 27, Note.

㊳Marx & Engels, *Marx-Engels Gesamtausgabe*, Abt. I, Bd. 5, p. 178.

㊴Ibid., p. 176.

㊵Ibid.

㊶Ibid.

㊷Marx, *Kritik der Hegelschen Rechtsphilosophie*, Cf. Mayer, *Historische Materialismus*, Bd. I, p. 271. Or Selected Essays, p. 25.

㊸Marx & Engels, *Marx – Engels Gesamtausgabe*, Abt. I, Bd. 5, p. 178.

㊹See also Hegel's *Phenomenology of Mind*, p. 289; *Philosophy of Right*, p. 129. Eng. Tr. (London)

㊺Hegel, *Philosophy of History*, pp. 491–492.

㊻Ibid., p. 462.

㊼Hegel, *Philosophy of Right*, p. 127.

㊽Hegel, *Philosophy of History*, p. 462.

㊾Ibid., p. 463.

㊿Ibid.

51Ibid., pp. 462–464.

52Ibid., p. 163.

53Ibid., pp. 463–464.

54看康德 *Perpetual Peace*, *Principles of Politics* 及 *Philosophy of Law* 各书。

55关于主权国家之足以妨害永久和平，黑格尔亦有卓见，他说："The sovereign will, which is private, makes any institution aiming at perpetual peace among states liable to be disturbed by the elements of contingency. For the state is individual, and in individuality negation is essentially implied." See his *Philosophy of Right*, pp. 332, 338.

56Marx & Engels, *Marx – Engels Gesamtausgabe*, Abt. I, Bd. 5, p. 29.

57我总认为黑格尔似乎是无意地这样。当我们读到他的：The state is the Divine Idea as it exists on earth (*Philosophy of History*, p. 41); "The state is the march of God in the world" (*Philosophy of Right*, p. 247) 时候，我们认为这是他把国家给"神话"了的理论。但黑格尔自己却很谨慎地说：任何特殊的国家都是与"国家这观念"(The Idea "State") 不同的。可见他自己所有意神化的，原来只是"国家这观念"；并不一定是某个特殊的国家 (See

Ibid.,p. 247)。不过,由实际观点言,这两种态度的结果却可以是一样的:因为即使你所神化的是国家的观念,则特殊国家的地位自然也就可以神秘起来了。

⑱Marx,*Kritik der Hegelschen Rechtsphilosophie*, Cf. Mayer,*Historishe Materializmus*,Bd. I,p. 272.

⑲Ibid.

⑳Ibid.

㉑Bentham,*Introduction to the Principles of Morals and Legislation*,p. 1. (London)

㉒Ibid.,p. 2.

㉓Ibid.,p. 4.

㉔Ibid.

㉕下面一段,皆摘自 *Die deutsche Ideologie*, Cf. *Marx-Engels Gesamtausgabe*, Abt. I,Bd. 5,pp. 287-297。

㉖马克思又说过:"Die Ökonomie, die früber, entweder von Finanzmäunen, Bankiers and Kaufleuten, also überhaupt von Leuten, die unmittelbar mit ökonomischen Verhältnissen zu tun hatten-oder von allegemein gebildeten Männern wie Hobbes,Locke,Hume behandelt wurde,für die sie als ein Zwig des enzyklopädischen Wissens Bedeutung hatte-die Ökonomie wurde erst durch die Physiokraten zu einer Lesondern Wissenschaft erhoben und seit ihnen als eine solche behandelt."*Marx-Engels Gesamtausgabe*,Abt. I,Bd. 5,p. 391.

㉗Marx,*Marx – Engels Gesamtausgabe*,Abt. I,Bd. 5,p. 391.

㉘Marx,*Capital*, Vol. I,p. 671. Note. Paul's Tr. Also "Bentham grundet auf die Moral des Helvetius sein Sytom des wohlverstandnen Interesses."See *Die heiligie Familie*, Cf. *Marx-Engels Gesamtausgabe*,Abt. I,Bd. 5,p. 308.

㉙Marx,*Marx-Engels Gesamtausgabe*,Abt. I,Bd. 5,p. 391.

㉚Ibid.,p. 391.

㉛Ibid.

㉜Ibid.

㉝Ibid.,pp. 390-391.

㉞Ibid.,p. 391.

㉟Bentham,*Introduction to the Principles of Morals and Legislation*,pp. 4-5.

㊱Marx,*Marx-Engels Gesamtausgabe*,Abt. I,Bd. 5,p. 392.

⑰Ibid., p. 390.

⑱Ibid., p. 392.

⑲Ibid.

⑳Marx, *Capital*, Vol. I, p. 671, Note. Paul's Tr.

㉑Ibid.

㉒Marx, *Kritik der Hegelschen Rechtsphilosophie*, Cf. Mayer, *Historische Materialismus*, Bd. I, Or *Selected Essays*, p. 11.

㉓Marx, *Critique of Political Economy*, p. 268.

㉔Marx, *The Poverty of Philosophy*, p. 160. "All history is nothing but a continual transformation of human nature."

㉕Bentham, Theory of Legislation, p. 3. ed. C. K. Ogden.

㉖Marx, *Marx – Engels Gesamtausgabe*, Abt. I, Bd. 5, p. 397.

㉗Ibid.

㉘Ibid.

㉙Ibid., p. 396.

㉚Ibid.

㉛Ibid.

㉜Ibid.

㉝Ibid., p. 392.

㉞Marx and Engels, *Communist Manifesto*, Cf. Burns, *Handbook of Marxism*, p. 54. Also *Capital*, Vol. I, p. 5. Note. Paul's Tr.

㉟Marx, *The Poverty of Philosophy*, p. 169.

㊱Marx, Letter to Dr. Kugelmann, dated London, 23rd. Feb. 1865.

㊲Cf. Stephen, L., *English Utilitarians*, Vol. I, p. 294.

㊳Marx, *Marx – Engels Gesamtausgabe*, Abt. I, Bd. 5, p. 388.

第六章　论道德与人性

一　引论:道德、效率与内在的必然

在说明马克思关于道德与人性的见解以前,我们试把共产主义与道德的关系,略加解释。我们要说明:马克思虽然也谈道德的问题,但他却没有用道德的论证,来证明共产主义的必要。

达到共产主义的结论,可由三方面论证。一是道德的论证(moral argument)。这种论证是说:鉴于贫困阶级生活的可怜,及人们间之其他不平等的现象,我们应该建设一种共产主义的社会秩序。此论证中之“应该”二字,甚为重要。一般地讲,凡相对的物事,都可以谈“应该”。如对怕饥饿,可以说“应该”吃食物;对怕头冷,可以说“应该”戴帽子等。但在上述一命题中,“应该”二字的产生,乃由对于遭受贫苦的人们之公正的、同情的感情而来;其动机完全是道德的“善意”。所以我们名此论证为道德的论证。二是效率的论证(argument of efficiency)。这个论证是说:社会上每个人都应对于促进整个人类文化,尽最大的努力。但在资本主义的社会中,一个人必先役于自己的生活事项,故无许多的时间,来做直接促进整个人类文化的工作。因为这种缘故,所以在资本主义社会中，大量的人类能力，都因为无计划以及供给与需要的不调协，而被浪费了。为了节省精力，增进效率，所以要实行共产主义。

马克思共产主义的论证，和上述二者都不相同。他的论证是说：由于其本身的"内在法则"（immanent laws）①或必然性（necessity），资本主义的社会，不能永远不生变动。在它的内部是有物质矛盾存在着的；此矛盾必然地要开展成为一新的、共产主义的社会。此论证乃是承认事实演变的逻辑。这种见解乃是与唯物史观一致的见解。

在马克思的唯物史观中，道德不过只是许多社会上层建筑中之一种。它是受生产方法所决定的。马克思认为：人类的历史并不是伦理或道德能推动的，革命也不是伦理或道德所造成的。所以，他说："共产主义者并不宣传道德，……他们并不希望把'私的个人'给变成一个专门的'为博爱而牺牲的动物'（professional for-love-sacrificing creature）"；②因为那是不可能的事情。唯物史观论者，也"并不要求人们：'要彼此相爱'！或'不要自私'！"③因为共产主义并不是用道德的宣传可以达到的。恩格斯也认为用道德的论证来证明共产主义，不过只是一种"社会的诗"（social poetry）。④何以叫作社会的诗呢？因为这个论证仅仅表示一种希望的感情，而诗的本质即是表达感情的。想用表露某种感情，来达到一种新的社会秩序，显然是不可能的事情。

但上述并不是说：马克思的学说与伦理或道德，不发生丝毫关系。反之，他的书中常常暗示某些批评伦理及政治学说的标准。他表示：若谈道德，必有些基本条件。如这些基本条件不满足，则根本不能谈道德。本章也可以说是第一个探讨马克思自己的伦理及道德观的企图。固然，我们晓得：考茨基（Kautsky）的伦理与唯物史观以及拉发格(Lafargue)的伦理著述,⑤都是研究马克思伦理思想的著作。可是这两本书,只是根据唯物史观的基本命题,来推论马克思在伦理方面的主张;他们并没有充分地征引马克思自己的话言。因为在马克思的著作中,未找到充分的根据,所以他们“推论”的结果,有时并不能代表马克思自己的伦理观或道德学说。实则马克思有许多关于伦理或道德的话语,散见于各书之中。特别是,他对于整个道德问题的看法,和前人完全不同。他的主张不但否认了康德(Kant)所代表的直觉主义(Intuitionalism);⑥也否认了边沁(Bentham)所代表的功利主义(Utilitarianism)。⑦他认为:直觉主义是空想,功利主义是一阶级求满足其一已利益的思想。直觉主义根本忽视了人性,功利主义虽然多少了解人性,却没有深刻的认识。本章目的即在:把马克思自己对伦理或道德以及人性问题的见解,考据出来,并加以解释。

二　资本主义社会中之伦理关系及伦理学说的分析

在本节先说明:资本主义社会中基于经济关系的社会关系。然后再看这些基本的社会关系,对于资本主义社会中之伦理学说,会产生什么影响。

(一) 资本主义社会中之基本的社会关系

马克思认为:资本主义中之社会关系,是依靠该社会中的阶级关系的。他又说:在资本主义社会中,有三个主要的阶级,即资本家或资产阶级,工资劳动者或无产阶级,及中产阶级或小资产阶级。我们若研究资本主义社会中的基本社会关系,便只有把此三个阶级间的实际关系,加以分析了。何以把这些经济的或阶级的关系叫作"基本的"关系呢?因为依照唯物史观的看法,这些关系是根本地决定人们之其他活动的关系。

第一,我们试先分析:资本主义社会中之主要角色,即资本家及工资劳动者间的关系。从一方面说,资本主义的特征,即生产是集体的(collective),而财产制度则是私有财产制。[8]在生产的过程中,直接从事生产的劳动者,不领有生产手段;生产手段乃为资本家所领有。据马克思的剩余价值学说(Theory of Surplus Value),资本家之所以为资本家者,乃因为他剥削劳动者的剩余劳动。他是直接剥削劳动者的人,而劳动者则是直接被剥削者。由此,我们可以看出:资本家与劳动者间的关系,用马克思的话说,根本上是一种"人剥削人的关系"(exploitation de l'homme par l'homme)。[9]

我们由资本家与劳动者接触的各阶段中,便可看出这种经济的剥削关系。他们的接触开始于资本家购买劳动者的劳动力时。在一肤浅的观察者看来,也许他们间的交易,是不违背人类道德的。不但不违背,而且还可以说是包含着许多美德的。何以呢?这种观察者可以说,第一,在他们讲买卖的过程中,便有"自由"。[10]"因为买卖这种商品,即劳动力的人们,都以其自己本人的意志而买卖的。他们都以'自由个人'的资格来进行交易。……他们最后所定的契约,乃是表现他们共同意志之最后的果实"。[11]第二,也有"平等"。[12]"因为他们都以商品所有者的资格而发生关系,并以同等的东西交换另一同等的东西"。[13]第三,还有"私有财产"。[14]"因为每个人所处理的,都绝对地是他自己的东西"。[15]最后还有"杰里梅·边沁"(Jeremy Bentham)。[16]"因为这一对人中之任何一位,都只考虑他自己的利益,此外都非其所计。每个人都只为其自己,谁也不关切对方"。[17]这种肤浅的观察者最后便可以推论:"他们在一起工作乃是为了相互的利益,共同的福利"。[18]

但在事实上,马克思认为:事情并不是这样的。在资本家与劳动者的交易中,后者实际上被资本家所购买,犹如他购买一匹马一样。[19]正如资本家买一匹马以马的劳动力如何为标准一样,他买劳动者也是以劳动力为标准的。不但在他们的交易中没有自由,相反地,劳动者在资本主义的生产方法之下,乃是被迫出卖他自己的劳动力的。在自资本的原始堆积(primitive accumulation of capital)至资本主义形成的过程中,劳动者已穷到不能不以出卖自己劳动力为维生工具的地步。他出卖自己的劳动力,乃是为了赚得"一点工资,俾使其自己及其族类,能维持其鄙陋的存在"。[20]他的劳动力既经出卖于资本家之后,则资本家必利用此劳动力于最大可能的限度;至于劳动者的健康情况,他是不顾及的。这也是自然的。资本主义的生产方法,根本便是生产剩余价值的,亦即,根本便需要吸收劳动者的剩余劳动。因此,资本家们绝不会顾惜劳动者的劳动力,也不会考虑人道问题;而只努力于延长工作,以求加速对劳动者的剥削。[21]其结果,资本家阶级乃"以减短劳动者的整个生命,来延长后者生命过程中之某一时期的生产时间"。[22]我们可以说他是从根底上削弱了"人们的活力"(vital energy);[23]"他促成了劳动力之早熟的消耗及死亡"。[24]总之,"他造成了从事工业的人口的颓毁(degeneration)"。[25]

但资本家们"对环绕着他们的劳动群众所受的苦痛,是有这种理由忽视的:事实上他们之不会为人类之未来的颓毁及最后灭绝的预测所动,犹如不会为天塌地陷的预测所动一样。当股票交易(stock exchange)有了畅销的现象时,每个参加这骗局的人都知道破产迟早是会来临的;但每个人却都希望:等他自己得到安全并且分得了抢掠品之后,那不幸归之于他的邻人。'在我以后再有天塌地陷'是任何一资本主义国家中任何一资本家的座右铭。所以,资本对于劳动者的病症及早熟的死亡,是不注意的。……每当关于'劳动者的'生理及心理的摧毁、早亡以及过度工作的苦痛有抱怨之声时,资本家们便回答说:'这些事情既能增加我们的利润,我们为什么要去管它们呢!'"[26]

这还不是资本家和劳动者接触过程的整个故事。在出卖自己劳动力时,劳动者既须受"竞争波动"[27]的苦恼,又须受劳动力之早晚市价不同的影响。[28]有时因受此诸影响,他便不得不把他的劳动力,廉价出卖。[29]就是这样,他仍然逃避不掉失业的危险。因为在资本主义之生产无政府的状态之下,失业现象是不能避免的。以上便是资本家与劳动者,在资本主义社会中的关系。

第二,我们再看资本家与中产阶级间的关系。中产阶级不是在出卖劳动力的市场上或工厂中遇到资本家,而是在商品流通的过程中遇到他。在资本主义的商品流通过程[30]中,金钱是流通的媒介。金钱一方面是价值的尺度(measure of value),另方面也是价格标准(standard of price)。[31]在此种社会中,金钱的力量非常之大,"谁有它,谁就是他一切需要的主人"。[32]用它"即可以给人开开一个乐园"。[33]马克思承认在资本主义社会中金钱力量之大,可以用下面一句话证明。他说:"金钱乃是一切力量的力量。"[34]

但在资本主义社会中,只有资本家是商品及生产手段的领有者;所以资本家同时就是大量金钱的所有者。本应是一种社会力量的金钱,在资本主义社会里,却"变成一私人手中所有的私人力量"了。[35]因此,资本家用他们金钱的力量,可以把一切物事,都改变成商品。即在资本主义的社会中,"一切物事都变成可买与可卖的"了。[36]

中产阶级对其自已的地位,常自诩为"公正";[37]并且以为资本家与劳动者之间的冲突,在他身上已得到了"正当的平衡"。[38]在马克思看来,这都只是妄想。实际上,中产阶级也不过是资本家的工资劳动者。资本家阶级"已把被人们所尊崇的及敬畏的事业给剥去皮了。他已经把医生、律师、僧侣、诗人、科学家,给变成他的工资劳动者了"。[39]不但如此,即中产阶级所一向视为"超然而不交易的,赠与而非出卖的,生来而非买来的东西——如美的、爱、信仰、知识、良心等;总之,一切物事,都迫入商品之中了。……一切物事,道德的抑物理的,都具有一个市场的价值"。[40]一言以蔽之,在资本主义的社会中,"金钱和商品的流通,就好像一个社会的大蒸馏器,一切东西都经不起这个炼金炉的锤炼。连圣人的骨头,都要给它化为灰烬;至于人类商业交易以外的清高圣物,更是抵抗不住它的锤炼了"。[41]中产阶级,在马克思看来,当然也不能抵抗或逃出这个锤炼的过程。

不过,资本家之购买或剥削中产阶级,却是间接而非直接的。中产阶级并没有一个社会地固定的个性(a socially definite individuality)。它是"立于"[42]并且"动荡于无产阶级与资本家阶级之间的"。[43]他不是革命的,而是保守的;甚至于反动的。[44]"小资产阶级,由其特殊的地位言之……是被两种情形给弄得昏眩了的:即资本家的富丽,和对无产阶级苦痛的同情"。[45]假如遇机会他变成了革命的,马克思以为,他之所以成为革命的,乃是鉴于他即将沦为无产阶级之故。是则其所保护的利益,不是现在的利益,而是未来的利益。[46]所以,像这样一个中产阶级"他本身不是旁的,他乃是一个行动的社会的矛盾";[47]"矛盾便是他存在的基础"。[48]

正如所有的矛盾必须展开一样,中产阶级这个矛盾也是不能不变动的。他也许会变成一个资本家,也许会沦为一个劳动者。在此种意义上,马克思以为:他的受社会经济力量所决定的个性,不是社会地确定的(not socially definite)。如果这句话是对的,那么,他在社会中的功能,也便不是社会地确定的了。就其动荡性与可变性言,中产阶级乃是一个"危险的阶级"。[49]他既没有充分的经济能力在社会中占有势力,又没有受物资需要所支配的勇气,来根本地变革现存的社会秩序。他的地位绝不是公正的。他的良心、信仰都可以用最高力量之金钱,以相当的市价而购买。甚至具有最高金钱力量的资本家,都可以说:就是中产阶级本人,在某种意义上,也是他的工资劳动者。

(二) 资本主义社会中之道德理论的几种基本特征

马克思曾在《共产党宣言》中说过:在一社会中,当资产阶级(著者按:即指资本家)在经济上占势力时,则"法律、道德、宗教,在无产阶级看来,即充满了资产阶级的偏见(bourgeois prejudice),在此诸偏见背后,隐藏着如许资产阶级的利益"。[50]这似乎是在暗示:法律、道德、宗教,都是阶级偏见化了的(class-prejudiced)。以法律言,我们固然可以这样说:因为法律有具体的条文,有司法机关,所以我们易于想象法律和阶级利益的联系。在任何社会中,经济上占优势的阶级,在法律上也占势力。以生产手段为私有财产的人们,可以用种种方法,在造法和执法的过程中,影响法律的性质及其实践。故若谓“法律乃基于……离开其真实基础的意志——而基于自由意志,这乃是一种幻想”。[51]相反地,资本主义社会中的法律,乃是依照经济上占优势的资产阶级的“物质动机化了的意志”(materiality motivated will)而造成的。马克思常用“‘赚钱’(money making)怎样变成了‘得势’(power winning)”[52]一现象,来说明如何一阶级在法律及政治上取得权势。他批评资产阶级的法理学也说:“你的法理学仅是把你本阶级的意志加入一个统治万人的法律之中。你的意志之基本的性质与方向,是受你的阶级存在之经济条件所决定的”。[53]

宗教姑且不讲,我们试看马克思有什么理由说:道德是阶级偏见化了的呢?关于道德,恩格斯也认为有一种“阶级道德”,[54]因为道德是抽象的行为原则,没有具体条文,没有执行和惩罚的机关,所以我们不能把它视同法律一样,而说:凡是在经济方面占优势的阶级,在道德上也占优势。这种说法显然是讲不通的。既讲不通,又非唯物史观中经济决定道德之说,发生错误了么?关于此点,我们在马克思的著作中,可以找到解答。他在这方面的见解,一向没有被人注意。他认为道德是要受经济力量所决定的。但其决定的方式,却和决定法律性质的方式,不甚相同。根据我的考证,所讲道德也是阶级偏见化了的云者,至少有下面各种含义。第一,在资本主义社会中,其社会关系的阶级性质,对于道德的影响很大。在那种情形之下,没有施行一个普通在用的道德原则的可能性。资本主义社会中的道德学说,都只具有局部应用(partial application)的性质。例如在资本主义社会中,勤、俭诸美德,都必然地与资产阶级的经济行为有关系。对于一资本家或资产阶级,自然是“生产的越多,则出卖的越多。故勤、俭、贪,便是他的主要的美德”;[55]而“多卖出少买入,便是他全部经济学”[56]的精意。这些美德,都是对资产阶级有用的。对于中产阶级,即小资产阶级,它们便不会那么有用了;但也可能是有用的。因为中产阶级的本质是流动的、变化的:所以他或者可以用勤、俭、贪这些美德,达到经济上的优越地位,马克思自己也明显地承认:一勤俭的中产阶级用他的“魄力、健强、能力及商业常识,可以成为一个资本家”。[57]但对一个无产阶级说,勤、俭、贪这些美德,“卖出多,买入少”的经济学精义,都是没有丝毫意义的。何以呢?一无产阶级,除了“黄油和面包”之外,他还有买什么的经济力呢?除了他自己的劳动力之外,他还有什么可卖呢?这种情形即表示:在阶级制度的社会中,不会有通行于各阶级的道德准则。

同样,对于善、恶、[58]正当(right)、不正当(wrong)等观念之不同的,甚至于矛盾的解释,也表示着:没有一个普遍道德准则的可能。在劳动者争取正常工时(struggle for normal working day)的过程中,资本家和劳动者都各有各人对于“正当”的看法;[59]他们的看法当然是互相冲突的。譬如,劳动者以每日六小时工作为正当;资本家则认为十小时为正当。劳动者以不妨害身体健康为正当;资本家则以多生产,多赚钱为正当。两者的看法永远不会一致。其原因则以他们的经济地位是根本冲突的。

“自由”一观念对于资本家的意义是“自由剥削劳动力”[60]是“‘自由’剥削的‘权利’”。[61]但“自由”对于劳动者则只有:自由劳动的意义。而所谓“自由劳动只是自由出卖劳动力”[62]而已。这种自由,实际上就是奴役。实则在马克思看来,当近代劳动者初次与资本家接触的时候，他就已经失去真正的自由了。当他把他的劳动力带到市场上出卖的时候，他表面上以一“自由的”劳动者的身份出现。他“在法律上有权利管理他自己的事情”，[63]他是“他自己的主人”。[64]但若拨开这表面而探究其真实情形，则在这个表面上的“自由”背后，却隐藏着一种社会的压迫。事实上，“他并不是个自由的人，却因当他自由出卖他的劳动力的时候，也就是他被迫出卖他的劳动力的时候”。[65]他并非：“自动地愿意出卖他的整个的活动的生命，他的唯一工作的能力”，他乃是“被社会的情形所迫使而然的”。[66]而这种社会条件之形成，从历史上观察，乃是由资本家的活动促成的。所以，资本家对此是要负责的。

劳动者既已出卖其劳动力于资本家，既已失掉了“自由”之后，他即不会再回收这种自由了。因为在他被买去后，“只要有一块筋肉、一个神经、一滴血可以被剥削”[67]，他便不断地被资本家所剥削。不用谈什么“自由”，即资本家对他唯一生命权利的“侵略”；[68]也都没有力量抵抗了。

政治上的平等、自由，在资本主义的民主制下，被资产阶级视为最高贵的政治理想。但劳动者则视此种自由为“虚假的自由，最坏的奴役，表象是自由实则是迫害。政治上的平等也是一样的东西”。[69]在劳动者看来，“真正的自由与真正的平等”即是“共产主义”。[70]何以说共产主义便是真正的自由与平等呢？因马克思认为：政治上的自由与平等，都必须以经济上的平等为基础。没有经济上的平等，不能实现政治自由与政治平等的理想。尽管政治上具有空的自由权利，但经济上的不平等，会使人们实际上不能得到自由。而此种“有人得到又有人得不到”的情形，同时也使政治上的平等成为不可能的空想。在马克思和恩格斯看来，共产主义乃是使人们在经济上平等的制度。因此,他们说:真正的自由及平等便是共产主义。

第二,资本主义社会中的道德学说,还有另外一种特征。即它只能局部地估价(a piecemeal valuation)人们的行为。在资本主义社会中伦理学逐渐变成"德目的伦理学"(ethics of virtues)。照这种德目伦理学的理论:即使把一种美德(virtues)放置在一道德上不完美的配景之中,而此美德自身,仍然是一种美德,因此也就值得我们的称誉。在实际上,此说的结果,即尽管从另一观点看一个人有很多道德上的缺点,但因为他具有某种单纯的美德,则也须认为他具有美德,他是道德上的好人。

例如,一个资本家,如果他很勤奋地经营他的事业,则按照此种伦理学说,即须认为他是一个具有"勤"的美德的人。如果他把一部分金钱用于慈善的目的,则须认为他是慈善的人。一资本家可以是个好的儿子,好的美德的人。好的父亲,好的朋友,只要他好好地对待他的父母、妻子、儿女、朋友即可。但自另一个观点,他便是一个完全不同的人了。他的"勤",是勤于剥削劳动者的劳动力。他的金钱,照马克思的经济理论言,乃根本由不道德的方法中得来。他就是唯一剥削童工,陷劳动者于苦境,摧毁整个劳苦大众健康的人。他绝无人道观念,他只会向你说:"在我以后再天塌地陷!"这样的一个人的行为,在道德上根本是恶的;但是德目伦理学却不注意这些。这种情形也并不是偶然的:在资本主义制度之下,伦理学说是和资产阶级的实践相呼应的。德目的伦理学自其本质言,即不能"全面"地来估价人们的行为。因为如果那样估价,那么,在现社会中唯一不道德的人,便是资产阶级了。则此种伦理学即不成其为资产阶级的伦理学了。在资本主义社会中,全面估价人们行为的伦理学,是不会存在的。而马克思自己则主张"全面"估价人们的行为。

第三,假如试再分析资本主义伦理学中之所谓"道德的命令"(moral imperative),我们也可以发现他们与阶级关系有密切的联系。这些道德的命令,常常是否定性质的,但永远是命令或禁止形式的。以马克思和恩格斯所举的例为例,则有:"应该互爱!""不要自私!"[71]"不可窃取!"等。[72]

由分析马克思和恩格斯的道德命令,我们发现他们的观点,与当代之逻辑的实证主义(Logical Positivists)[73]的意见很相似。据逻辑的实证主义,如"不要杀人!"这些道德的命令,仅是表现(express)一种"希望",并未能确述(assert)什么事实。它们只是"表现的文句"(expressions)不是"确述的文句"(assertions)。这种表现某种希望和感情的文句,不属于经验的科学,而属于诗的范围。伦理学中既为这类道德的命令所组成,逻辑的实证主义便认为:它乃是假的科学(pseudo-science);它只是诗。他们主张:此外还可以有另外一种经验的伦理学,对于人们的行为做心理的及社会的观察。研究人们行为在感情及意志方面的起源,及其对于旁人的影响。[74]

马克思和恩格斯也得到同样的结论。马克思在他批判康德及边沁的文章中,发现了:伦理学的性质不但符合资产阶级的实践,而且也符合他们的"希望",即"把一切关系都变成为剥削关系的希望"。[75]恩格斯也认为:基于同情之感的伦理学,只是"社会的诗"。[76]而且他也认为:对于人类的道德行为,有做一番科学研究的必要。凡此诸点,都与逻辑的实证主义不谋而合。

但因马克思系由社会经济观点,来研究这个问题,所以他自然比逻辑的实证主义者多发见一些事实。由社会的观点言,马克思认为:这种道德的命令,在某一个特殊阶级的手里便有一种特殊的意义。某种解释对本阶级有利益,便给这些道德的命令,加上这种解释。这样,便可以利用那些道德的命令。例如,当资本家向劳动者说"不要自私!"的时候,他的意思是说:"你不要加入工会,不要罢工,不要多索工资;总之,不要太为了你自己。因为那样,便对我们资本家不利了。"但是,若是劳动者向资本家说这句话,相反地,他的意思是说:"你不应该剥削我们,你不能再继续剥削我们!"这种意义上的冲突,确切地代表着不同阶级之冲突的"希望";而此种不同的希望,又是受他们不同的经济利益所决定的。此外,在阶级斗争的过程中,某一阶级常常利用这种道德的命令,来抵抗另一阶级。

所以,道德命令,实际上根本地,反映着某一社会中各阶级间之经济利益的矛盾。也可以说,他们代表着经济上不同阶级的社会中的病态。

三　斯宾诺莎、卢梭、边沁、康德及马克思的人性论

人性论在伦理及政治思想中,占很重要的地位。一道德哲学家或政治思想家的整个道德哲学或政治思想系统,常常受自己之人性观的影响。我们现在要研究马克思的人性观;但我们也要把马克思的人性见解和斯宾诺莎(Spinoza)、卢梭(Rousseau)、康德、边沁等人的人性观比较一下。[77]马克思对于人性问题,有一种具体看法;他这种看法和以上诸人都不相同。我们先讲康德。

康德在他的伦理及政治学中,都极重视"善意"(Good Will)

一观念。"善意"在他的抽象人性研究中,是基本的观念。照康德的主张,人是或至少应该是,没有欲求和希望的。他们不求满足他们的物质需要;而只履行道德的义务。所谓道德的义务,既非快乐,也不是与快乐相似的东西;乃是由实现"善意"后所得到的任何结果。"善意"的实现,其结果一定是善的:因为它是根据至高无上的"无条件的命令"(categorical imperative)而产生的。"无条件的命令"告诉我们:"须依照你自己认为可成一公律之箴言去做。"康德理想的"至善"就是由道德观点看,"应该"(ought to)做的一些事情。

在马克思看来,如果康德认为实际上的人,"本来"具有他所谓"善意",则康德不免看错了实际上的人性。马克思认为:在现实世界中,人类具有的意志,并不是"善意";而是"物质动机化了的意志"(materially motivated will)。人是自私自利的,毫无所为的"善意",是不会有的。所以康德这种说法,是把人与其实际生活情形,给割裂开了。退一步说,如果康德认为:人"应该"具有他所谓的"善意"——因为必须这样,才能产生善的行为——这倒不失为一种之道德理论。但人性假如若"本来"是自利的,亦即物质动机化了的,则这本来的成分,是不会被"善意"代替了的。因此,康德那个理论的至善,只有他自己想象中之具有"善意"的人,才能实现;并且只有用他那种形上学的演绎法,才能使其实现。有人说:"康德在他的伦理学中,假设了一个圣人的社会,或至少是道德哲学教授的社会。"[78]这是一个很恰当的,并且具有讽刺性的批评。

马克思在他对康德的批评中,提示两个要点。第一,大凡一种伦理或政治学说,不应陷于以下的错误:即把人由其具体环境中抽出来,因为忽略了他的实际生活情形。第二,一种伦理或政治学说，也不应假设一个常人所不能达到的理想的“至善”，使一般人只能做到“仰之弥高”，而不可趋赴。

马克思对人性的见解，和边沁的“趋乐”（pleasure-seeking）“避苦”（pain avoiding）的“心理算盘”（psychological calculus），也有所不同。马克思固然承认边沁比康德较为实际，因为边沁确能将人性问题，多少在唯物的立场上把握一些。功利论认为：人性并不是形上学的抽象概念，绝无任何欲求；反之，人性乃是受两种主因所支配的。这两种主因，便是“乐”和“苦”。如果把边沁的人性见解叫作唯物观，我们应该名之为“心理的唯物观”；因为“乐”“苦”是心理方面的事情。大体上说，诚如拉斯基教授所言，边沁的人性观和马克思的见解，是有相当关系的。[79]但边沁只是空谈“苦”和“乐”本身，在马克思看来，这仍不过是谈抽象的概念而已。用劳滋（Lotze）的话说：“如果我们不知道所享乐的是什么，快乐本身是个不完全的思想。”[80]马克思以为最重要的乃是：要去考察那个实际的“快乐或利益的寻求关系”（pleasure or interest-seeking relation）；这个实际的关系，是受经济及社会的条件所决定的。我们不能把快乐或利益本身，与人们取得快乐或利益的能力，混为一谈。讲快乐与享受快乐，纯然是两回事。借用斯宾诺莎的话说：“没有金钱观念之基因相伴的任何种快乐，都是不可了解的。”[81]边沁固然在一方面很切实地警告我们：不要把虚构的（fictitious）社会利益，和实在的（real）个人利益相混；但他在另方面却不能把不同的集团的利益分别看待，尤不能把快乐或利益本身，与取得快乐或利益的力量分开。

马克思在他对边沁的批评中，也暗示两个要点。第一，一伦理或政治学说，不应把“苦”和“乐”本身，当作人们之间的实际苦乐关系。因为前者是抽象的概念问题，后者是能否取得快乐，避免痛苦，受经济力所决定的问题。第二，一伦理和政治学说，更不应把某一具有快乐特权的阶级（pleasure-privileged class 本文著者按：此即指富人）之特殊利益，当作一切人们的共同利益。

斯宾诺莎代表另一种心理的唯物人性观。在某一意义上，我们可以说斯宾诺莎是一个功利论者。[82]他不但把“善”和“恶”解释为“有用”（useful）与“无用”（not useful）[83]或“乐”与“苦”；[84]并且他认为：“善”、“恶”、“苦”、“乐”、“有用”、“无用”，是可以计算的。[85]斯宾诺莎认为：“下面的事实，乃是一个公律：即没有人能够放松他所认为是善的东西，除非他为了得到一个较大的恶，或为了取得一个较大的善。在两个善中，必择取他认为是最大的善。在两个恶中，任何人亦必则取他自己认为是最小的恶。”[86]斯宾诺莎认为：“这个律根深蒂固地生长在人们心中，我们应把它算作一个永久的真理。”[87]但斯宾诺莎却很了解人们对于善恶判断的主观性，所以他说：“我审慎地说：某人自己所认为之最大善或最小恶，因为这并不是说他自己判断的正确。”[88]以上的见解，和边沁的“心理算盘”，很有相同之处。

斯宾诺莎的人性论，并非建筑在主观感觉之“苦”与“乐”上；而是建筑在心理状态之本身的“情绪”（emotions）上面的。这一点和边沁很不相同。他认为“自求生存的冲动”（conatus sese conservandi）是一切情绪的基础。[89]霍布士（Hobbes）也讲“自求生存的冲动”；在这一点上，斯宾诺莎与霍布士是很有关系的。“自求生存的冲动”是所有人类活动的基本动力，它是与生俱来的，自然而然的。斯宾诺莎认为：政治学者必须确切地认识这种人性，然后总可以制定出来能在实行方面有效的学说。认为这种人性的性质是不对的;同时讲评这种人性也是不对的:因为这是事实,凡理论家如欲其理论有效,必不能忽略既成的事实。[90]斯宾诺莎以“自求生存的冲动”为核心的人性观,对于伦理学及政治思想的影响很大。

在伦理学方面,他认为:“没有一种美德能被认为是比这种自求生存的努力,更为占先的”;[91]并且人愈能努力于求自我生存,则其人为愈有美德。离开这种自求生存的冲动而谈道德,是不可理解的事情。[92]这样则“本来”的人性实无所谓善恶,一切德目都是后起的东西,都是顺应着这个基本冲动而制定的。在政治思想方面,斯宾诺莎认为政治上的“至善”(chief good)是“保持国家的存在”。[93]因为国家对人们有利益,它可以使人们能更圆满地实现其“自求生存的冲动”。这样讲来,则国家的存在,也是顺着人性的自利行为。

关于以“自求生存的冲动”为伦理或政治学之基础一点,斯宾诺莎的人性观和马克思的见解,颇有相似之处。马克思固然讲过斯宾诺莎的《伦理学》(*Ethics*)及《神学政治学》(*Tractatus Theologico Politicus*),[94]但他似乎没有充分注意到斯宾诺莎以“自求生存的冲动”为基础的情绪论。马克思曾批评过斯宾诺莎的本体概念,他又讲过某阶级的“情绪”,在社会发展的某阶段中,会感到旧的社会组织是一个羁绊(fetter),并且想冲破它。[95]但在马克思看来,若想有社会的意义,我们必须在“情绪”的社会背景中去研究它。否则,我们无法知道“情绪”的社会功能。斯宾诺莎对“情绪”之心理的研究,可谓与“情绪”在社会中的功能,无大关系。这便是心理的唯物和经济的唯物人性观的区别所在。

虽然两人的学说在此方面不同,但“自求生存的冲动”在斯宾诺莎系统中的地位,却和“物质的生存形态”(material mode of existence)在马克思系统中的地位,极为相似。在人性观方面,马克思认为凡人皆具有"一般的人性";同时也有"人性在每个特殊的历史时代中的变化"。[96]

马克思对"一般的人性"的研究,采取外在的观点。他所注意的,是表现在社会事实中的人性。在他看来,人性并不是一个先天的,现成的模型。反之,乃是一件在社会中可以观察出来的事实。在这件社会的事实中,包含着一个心理的趋向。此趋向是会对受经济决定的"利益刺激"(interest stimulation)起反应的。除了由其具体的表现外,我们没有方法研究人性。"人性"一词本身,似乎暗示有一种抽象的人性,这正是哲学家们想象之中"本来的"、"纯粹的"人性。但在事实上,却是没有这种人性的。由这方面说,"人性"一词颇有语病。如果仍欲采用"人性"一名词,则我们认为:只有"关于人性的些事实"(facts of human nature)。所谓"抽象的人性",乃是一个由不合逻辑的思考过程而推演出来的概念。由表现在社会中的事实来看,马克思认为"一般的人性"之根本规律便是:就社会事实的表现,可知人类本质地(intrinsically)且永远地(persistently)具有一种保持及改进其物质的生存形态的趋向(a tendency to maintain and improve their material mode of existence)。[97]这是关于人性的基本事实:因为这是人之所以为人的要素。这是一个自然法则;正如"一个国家要停止工作,就要灭亡"[98]一样,一个人如果丧失了其物质的生存,即等于没有生存。马克思以为:"没有一个自然法则是可以取消的",[99]所以人们之自求保持及改进其物质生存形态的趋向,也是不能取消的。由马克思认为"一般的人性"不变一点言之,他这种见解很像休谟(Humo)的主张。休谟以为"人性中之物质的成分"(anything material in our nature);是不能改变或更正的,“我们至多能改变我们的环境与情况”[100]而已。用休谟的话讲,马克思之“一般的人性”就是人性之“最物质的成分”。这种成分是根本不能取消的,因为取消了他人即不能成为人了。

现在我们先把马克思的“物质生存形态”,与斯宾诺莎的“自求生存的冲动”比较一下。马克思认为:凡一伦理或政治学说,若想社会地有效,它必须把这种人性当作大前提。正如斯宾诺莎主张:任何道德原则,不能先于“自求生存的冲动”,并且离开了它,任何美德都不可了解一样,马克思也主张:任何权利及义务的讨论,必须先考虑人们的“物质的生存形态”。有意或无意地忽略这件基本事实,任何理论及政治学说,都不会行得通。例如康德便是有意无意地忽略这种事实的道德及政治理论家。他未尝不知道人性中有自私的成分,但他却假定“善意”一观念为他道德哲学的基础。马克思以为这种办法是不会普遍有效的;这仅可代表一种空想或希望。马克思认为人的意志是“物质动机化了的意志”,只有在这种人性中,我们才能找到“苦”、“乐”、“利益”等范畴的来源。一理论家如果忽略这件事实,即将如斯宾诺莎所说:“他不是在研究实际上的人类,而是在研究他自己所愿意那样的人类。”[101]如果一社会理论,忽略或错认了实际的人性,它是不会有用的。

就以上所述观之,马克思与斯宾诺莎在这一点上,固然颇有相似之处;但他们也有其根本的差异。马克思因为他自己站在经济决定论的立场,必要把人性的问题,进一步拉到它的社会经济背景中去。关于此点,我们须知:只要我们是在讨论伦理或政治学说,我们必须把斯宾诺莎的“自求生存的冲动”一概念,翻译成一件社会的事实——即马克思的“物质的生存形态”。在一方面,我们可以说，这是马克思和斯宾诺莎的不同。在另方面，也可以说，"自求生存的冲动"可以作"物质的生存形态"的一个理论假设。但这并不是说：前者比后者更为重要，因为前者只可作后者的一个"理论上"的假设。在马克思的社会学说中，可以不必要这个理论的假设，而无害处。那就是说，当研究人类的社会活动时，马克思可以只研究在社会中可以观察出来的事实——人们的"物质的生存形态"，也就够了。

卢梭的著作对于马克思的影响很大，这一点可由马克思早年的作品中看出。[102]当马克思研究自杀景象的时候，他说："这个社会不是一个社会，诚如卢梭所言：它是一个野兽所居住的荒原"，[103]此即可为一证。但马克思下面接着下去的话，便和卢梭大异其趣了。他说："当我研究警察行政组织时，我会特别注意自杀的案件，若非把现代社会秩序整个的改造(oiner totalen Reform der jetzigen Gesellsehaftsordnung)，所有其他企图，都是无效的。"[104]卢梭哪里梦想到这种"整个的改造"？反之，卢梭在政治思想上的工作，只是保护市民社会(civil society)。至于对经济的不平等，卢梭和其他社会改造家一样，他只希望"没有一个市民能富到购买其他公民的程度，没有一个公民能穷到不能不出卖自己的程度"。[105]

关于卢梭的人性观，马克思以为毋宁霍布士的"人与人争"(Bellum omnium contra omnes)倒比卢梭的见解，更近于事实一些。[106]卢梭主张人性本来是善的、自由的、独立的。[107]卢梭的观点，用狄骥的(Duguit)话来说，乃是"关于人性的一个纯粹形上学的命题"。[108]对于人是生而自由的，独立的见解，马克思的批评是"只身及与世隔绝的猎者或渔人，乃是司密斯(Smith)和李嘉图(Ricardo)学说的出发点。这见解已经是属于十八世纪不合事实的幻想了"。[109]又说："卢梭之《社会论》使令天然独立着的个人,发生接触,且因契约(contract)而发生相互关系”,[110]这也只是一个虚构(fiction)。

据马克思的见解,在满足人们的物质需要过程中,人类必须彼此依赖地去生产他们相互的生存手段。[111]这是“一个历史事实,一个所有历史的基本条件。这只是为了保持人类的生命,这件事实在今日,正如在几千年前一样,必须时时刻刻地使其实现”。[112]那就是说,只要人类想活着,他们必须在生产及利用他们的生活必需品上,互相依赖。马克思这个论据,显然是历史的论据。在此史的论据中,他一面否认了霍布士性恶的意见,另方面又否证了卢梭性善的意见。由马克思承认人类“物质的生存形态”之根本性(fundamentality)一点言之,马克思和斯宾诺莎一样,也主张道德的形容词(moral adjectives),如善、恶等,不能用来界定(define)人性。因为,界定的分子(defining factor)必须比被界定的分子(the defined),较为根本。所谓善、恶,不过是些道德的概念,它们在逻辑上既不比斯宾诺莎的“自求生存的冲动”占先(prior to),也不比马克思的“物质的生存形态”占先。对于保持人们的生存形态这件事实来讲,善、恶这些形容词,根本是用不上的。如果一政治学说假定根本的人性是善的或是恶的,并且照此假定去决定政治的措施,则这个学说,一定不会有用。因为事实上,人性既不是善的,也不是恶的。人性只是需要活着而已。用马克思的话说,基本的人性即需要“维持”并且“改善”他的“物质的生存形态”。人性的本身,根本与道德无关。前人之“人性是恶的”、“人性是善的”等说法,都有很大的错误。我们只能说站在某道德立场上说某件事实所表现的人性是恶的或是善的。至于“某道德立场”在时间上及空间上,都不是唯一的立场,则“人性是善的或恶的”,如果换了立场,都是靠不住的见解。在马克思看来，靠得住的，只有人类无时无刻地不在需要保持及改进他们的物质的生存形态。若谈道德，则任何善的观念，都得依照，至少是不违背，人类之物质的生存形态。

但我们如果像林赛（Lindsay）一样，注意马克思和卢梭的同点，[113]则在人性论一点上，他们亦未始不可比较。把卢梭的“自然人”（natural man）及其加之自然人的道德性质（如“自然人是善的”）抛开，我们不能不承认：卢梭认为人性的表现是变化的，且其变化与社会制度，有深切的关系。因为卢梭以为本来的人性是善的，但却被制度给腐化了。这种见解即暗示着：人性的表现，是因受社会制度的影响，而与其变化的。马克思也主张，但却更有力量的主张，人性的表现不是一成不变的。它的表现方式，是因历史的、经济的环境演变，而不同的。这便是马克思人性论的第二部分的理论，即“人性在每个特殊历史时期中的变化”。

上面我们已经知道，马克思所谓“一般的人性”，是指人们之间内在的、永久的、求保持及改进其物质的生存形态的趋向。这种趋向本身是与阶级地位及利益无关的，因为尽管阶级不同，但其自己阶级，必想维持及改进其本阶级之物质的生存形态则一。资本家和劳动者都想生存，不过他们的生存方式不同而已。因此，“都想生存”是人所共具的“一般的人性”。马克思把自求保持及改进物质的生存形态一事，视为一个关于人性的自然法则。上面已经讲过了，他认为：“凡是自然法则，皆不能取消。”[114]马克思又接着说：“在变换的历史环境中，可以变化的东西，只是这些法则表现的方式”。[115]后一句话，非常重要。照上面两段话暗示：马克思的人性见解，乃是主张：自求保持或改进个人之物质的生存形态，是一个关于人性的自然法则；它在任何时代，任何地域，都是不变的。因为它若变了，人即不成为人了。但是人的表现此种保持或改进物质的生存形态之趋向的“方式”，在各历史时期，都不相同。所以，马克思又认为：人性在每个特殊的历史时期中，都有变化。这里所谓变化，即指表现“一般的人性”之“方式”的变化。

这种表现“方式”的不同无他，就是人们在各历史时期中，表现“一般的人性”之具体的、特殊的样子。这样子即是人们之实际生存的样子或形态。凡是实际的生存，马克思都名之为“物质的生存”。物质的生存，就是用生活资料（Lebensmittel）所支持的生存。“人们生产其生活资料的形态或方法”（Die Weise in deride Menschen iher Lebensmittel production），各时代各地域都不相同。这种不同的取得生活资料的方法，便是支配或决定人们思想与行为的力量，也就是我们由以得觇其人性表现的源泉。因为取得生活资料的方法是一件经济的事实，所以“人性的表现”自然与经济事实，发生密切的关系。

马克思认为，在资本主义制度之下，各人只是“经济范畴的人格化身（personification），是特殊阶级关系及阶级利益的标记（embodiments）”[116]。所以，他说：“资本家只是人格化了的资本（capital personified），他的灵魂，就是资本的灵魂。”[117]正如“资本只有一个单纯的生命冲动——即其创造价值及剩余价值的趋向”[118]一样，资本的“人格化身”之资本家的活动，也是在剥削工资劳动者的劳动。这是资本家之所以为资本家之唯一取得生活资料的方法。受这件基本事实的决定，一资本家的其他行为，也都必然地染上了资本家所以为资本家的色彩。其他资本家的行为，也是如此。假如有一资本家企图要做，或实际做，与此相反的事情，他就不成为资本家了。任何取消此种剥削的企图，必将遇到资本家下面的回答：“你要把我的生活手段夺去，你就是把我的生命拿去了！”[119]或者他这样地回答：“要取消我做一个资产阶级的生存，就等于取消我唯一的生存。”[120]一个工资劳动者所表示的需要，则恰恰与此相反，工资劳动者以出卖自己的劳动，为唯一的生存方法。他受社会关系所决定的趋势，自然就是反对资本主义之现状的。马克思所以认为：工资劳动者是唯一的革命阶级的理由，也正为此。这是很自然的事情：因为革命对于工资劳动者，是解决他的“生存问题”（life-question）。[121]至于中产阶级对于社会刺激的反应，又和以上所述两种不同。中产阶级对于受社会经济所决定的利益刺激，自有另外一种反应。那种反应，也就是他具有社会意义的个性之唯一的表现方式。一般地讲，资本家与无产阶级都是人，他们都是饥需食渴需饮的。但这件事实，在一伦理或政治的学说中，没有太多社会的意义。那就是说，此类学说只是知道这件事实，还不够用。在一伦理或政治学说中，毋宁说资本家及工资劳动者对他们各人的特殊“利益刺激”的不同反应方式，是具有社会意义的。这些不同的反应方式，就是劳资冲突的基因。他们之间的争端，用唐纳教授（R. H. Tawnay）的话说：“不是由于对同一利益的误解，乃是由于对不同利益的了解。”[122]

因此，假如“人性”一词在一伦理或政治学说中，表示一点意义，则马克思认为：第一，它表示人类一般保持及改进其物质存在的趋向；第二，它表示此种趋向在各历史时期所表现的特别方式。我们对于第二点，应特别注意。因为对第二点的研究，马克思才发现阶级的关系对于人性的影响。受阶级关系的决定，一资本家的“性”，便必然地剥削工资劳动者的剩余劳动。劳动者的“性”，也是受其阶级地位所决定的，他永远是在想反抗资本家。这是必然的情形。因为他们相互的“一般的人性”——即其求保持及改进其自己物质生存的趋向——只有从其特殊的物质生存方式上表现出来。他们的物质生存方式是不同的,所以他们对于社会利益刺激的反应,也是不同并且冲突的。此种反应的综合,便是表现“人性”的事实。因此,人性是随着不同之事实的生存方式而异其表现的。马克思认为在各历史时期,都有不同的表现方式,也正是指此。

在上述两阶级的冲突中,彼此都自己坚持自己的权利。马克思说:“当两个权利冲突时,强力可以决定此纠纷。”[123]这强力的解决,在马克思的系统中,便是社会革命。社会革命是取消阶级的唯一方法。恩格斯认为,真正的道德,非至人类历史没有了阶级纷争时,不能实现。[124]用马克思的话说,那时候:“社会化的人,那联合生产者,合理地规定着他们与自然界的接触,把自然置于人类支配之下,而不被盲目的自然力量所支配。他们以最少精力的耗用,完成他们的工作。并且他们都处于一种最适合于他们的‘人性’的,最对他们的‘人性’有价值的情形之下”。[125]我们不要怕,取消阶级区别似乎包括一种人性的变化,因为改变人性在某社会中所表现的特殊“方式”,并不是取消“人性”本身。换言之,并不是取消人们自求保持及改进其物质的生存趋向,不过只是采取另一种与经济上的阶级无关的方式,来表现那种趋向而已。这并没有什么奇怪,马克思说:“所有的历史不是别的,只是不断的人性表现方式变化的历史。”[126]

马克思的人性观及其与伦理或政治学说之关系的意见,略其于此。这种见解照马克思说:“非至资产阶级的人生观和无产的社会主义者的人生观之对立,已经产生时,不能被发现出来。这种对立一经发生，则一切道德——无论为制欲主义的道德，或是快乐哲学的道德——都证明是破产的了。"[127]

注　释

①Marx, *Capital*, I, pp. 275, 346, 320. Paul's Tr.

②Marx, *Marx-Engels Gesamtausgabe*, Abt. I, Bd. 5, pp. 227–228.

③Marx, Cf. *Dokumente des Sozialismus*, Vol. III, p. 215.

④Engels, Progress of Social Reform on the Continent, See Letter to New Moral World, 23rd. Oct. 1543. Cf. *Marx-Engels Gesamtausgabe*, Abt. I, Bd. 2, pp. 436–442.

⑤Lafargue 的著作有 *Social and Philosophical Studies*; *The Right To Be Lazy*; *Economic Determinism* (in French)。

⑥见本书第五章。

⑦同上。

⑧Marx, *Capital*, I, pp. 844–847. Paul's Tr.

⑨Marx, *Marx-Engels Gesamtausgabe*, Abt. I, Bd. 5, p. 388.

⑩Marx, *Capital*, I, p. 164. Paul's Tr.

⑪Ibid.

⑫Ibid.

⑬Ibid.

⑭Ibid.

⑮Ibid.

⑯Ibid.

⑰Ibid.

⑱Ibid.

⑲Ibid., p. 292. (Chicago)

⑳Marx, *Marx-Engels Gesamtausgabe*, Abt. I, Bd. 3, p. 430. Also Selected Essays, p. 154.

㉑Marx, *Capital*, I, pp. 269–270. Paul's Tr.

㉒Ibid.

㉓Ibid., p. 273.

㉔Ibid., pp. 273–274.

㉕Ibid., p. 293.

㉖Ibid., pp. 273–275.

㉗Marx & Engels, *Communist Manifesto*, Cf. Lee's *Essentials of Marx*, p. 37.

㉘Ibid.

㉙Marx, On Free Trade, *Marx-Engels Gesamtausgabe*, Abt, I, Bd. 6, p. 430.

㉚Marx, *Capital*, I, p. 91 与 Barter Exchange 比较。

㉛Ibid., pp. 70–72.

㉜Columbus in a Letter from Jamaica penned in 1503. Cf. Ibid., p. 112. Paul's Tr.

㉝Ibid.

㉞Ibid., p. 796.

㉟Ibid., p. 113.

㊱Ibid., p. 112.

㊲Max, Letter to P. V. Anennkov, 28th. Dec. 1846. Brussels.

㊳Ibid.

㊴Marx & Engels, *Communist Manifesto*, Cf. Lee's *Essentials of Marx*, p. 83.

㊵Marx, *The Poverty of Philosophy*, p. 31. (M. L. Ed.)

㊶Marx, *Capital*, I, p. 148. Paul's Tr.

㊷Marx, *Class Struggle in France*, p. 44. (M. L. Ed.)

㊸Marx & Engels, *Communist Manifesto*, Cf. Burns, *Handbook of Marxism*, p. 49.

㊹Ibid., Cf. Lee's *Essentials of Marx*, pp. 41–42.

㊺Marx, Letter to P. V. Anennkov, 28th. Dec. 1846, Brussels.

㊻Marx & Engels, *Communist Manifesto*, Cf. Lee's *Essentials of Marx*, p. 42.

㊼Marx, Letter to P. V. Anennkov, 28th. Dec. 1846, Brussels.

㊽Ibid.

㊾Marx & Engels, *Communist Manifesto*, Cf. Ibid., p. 42.

㊿Ibid.

51Marx & Engels, *The German Ideology*, p. 60.

52Marx, *Marx-Engels Gesamtausgabe*, Abt. I, Bd. 6, pp. 306–307.

53Marx & Engels, *Communist Manifesto*, Burns, *Handbook*, p. 41.

54Engels, *Anti – Dühring*, p. 108. English Tr.

55Marx, *Capital*, I, p. 150. Paul's Tr.

56Ibid.

⑰Ibid., II, pp. 705-706.

⑱Engels, *Anti-Dühring*, p. 108.

⑲Marx, *Capital*, I, pp. 234-235. Paul's Tr.

⑳Ibid., p. 293.

⑥①Ibid., p. 308.

⑥②Marx, *Die deutsche Ideologie*, Cf. *Marx-Engels Gesamtausgabe*, Abt. I, Bd. 5, pp. 181-185.

⑥③Marx, *Capital*, I, p. 386. Paul's Tr.

⑥④Ibid., p. 301.

⑥⑤Ibid.

⑥⑥Ibid., p. 276.

⑥⑦Ibid., pp. 310-311.

⑥⑧Ibid., p. 317.

⑥⑨Engels, Letter to New Moral World, 4th. Nov. 1843. Cf. *Marx-Engels Gesamtausgabe*, I, Bd. 2, p. 483.

⑦⓪Ibid.

⑦①Marx, *Dokumente des Sozialismus*, III, p. 215.

⑦②Engels, *Anti-Dühring*, p. 109.

⑦③Mc Gill, V. J., 有一文, 题为: An Evolution of Logical Positivism, See *Science & Society*, Vol. I, No. I, 1936。此文固系由马克思派观点来估价逻辑的实证主义者;但该文著者对本书所提出各点,并未注意。

⑦④ Carnap, R., *Philosophy and Logical Syntax*, pp. 22-23. Also his *Logical Syntax of Language*, pp. 278-333.

⑦⑤Marx, *Marx - Engels Gesamtausgabe*, Abt. I, Bd. 5, p. 339.

⑦⑥Engels, Letter to New Moral World, 23th. Oct. 1843. Cf. *Marx-Engels Gesamtausgabe*, Abt. I, Bd. 2, pp. 438-442.

⑦⑦比较这些人的人性观,是 Prof. H. J. Laski 所指示的,但工作虽亦由他指导,而工作结果,是由我个人负责的。

⑦⑧Aris, R., *History of Political Thought in Germany, from 1789 to 1815*, p. 87.

⑦⑨Laski, *Karl Marx: An Essay*, p. 27.

⑧⓪Lotze, *Microcosmus*, Vol. I, p. 694. English Tr. 4th. edition.

⑧①Spinoza, *Ethics*, Cf. *Chief Works of Spinoza*, Vol. I, p. 241. English Tr., 1891.

⑧②Duff, R. A., 在其 *Spinoza's Political and Ethical Philosophy*, p. 82 中论及斯

宾诺莎功利主义却与边沁的功利主义在某一点上相同。

⑧③Spinoza, Ibid., Vol. II, 4th. pt. Def. I & II, p. 144. Everyman's edition.

⑧④Ibid.

⑧⑤Spinoza, *Practatus Theologico-Politicus*, Cf. *Chief Works*, Vol. I, p. 203.

⑧⑥Ibid., p. 303.

⑧⑦Ibid.

⑧⑧Ibid.

⑧⑨参阅 Duff, *Spinoza's Political & Ethical Philosophy*, Chap. VII, pp. 76–92；以及 Pollock, Spinoza：His Life and Philosophy, Chap. XV, pp. 214–244。

⑨⑩Sponaza, *Tractatus Politicus*, Cf. *Chief Works*, Vol. I, p. 287.

⑨①Sponaza, *Ethics*, pt. IV, Prop. 22, Corall. p. 157.

⑨②Ibid.

⑨③Sponaza, *Tractatus Theologico-Politicus*, Cf. *Chief Works*, Vol. I, p. 204.

⑨④Marx, *Marx-Engels Gesamtausgabe*, Abt. I, Bd. I, *Halband* 2, pp. 108–110. 附有马克思读过拉丁原文斯宾诺莎上书的证明。

⑨⑤Marx, *Capital*, I, p. 335. Also on "Fetter", See *Selected Essays*, pp. 142–143. *The German Ideology*, pp. 68–69. *Critique of Political Economy*, Author's Preface.

⑨⑥Marx, *Capital*, I, p. 671, Note. Paul's Tr.

⑨⑦Marx-Engels, *The German Ideology*, pp. 8–78. *Capital*, I, p. 94, Note. (Chicago)

⑨⑧Marx, Letter to Dr. Kugelmann, 11th. July, 1868.

⑨⑨Ibid.

⑩⓪Hume, *A Treaties of Human Nature*, Vol, II, p. 237.

⑩①Sponaza, *Tractatus Politicus*, Cf. *Chief Works*, Vol. I, p. 287.

⑩②Marx, *Peuchet*：*Vom Selbstmord*, Cf. *Marx-Engels Gesamtausgabe*, Abt. I, Bd. 3, p. 301.

⑩③Ibid., p. 394.

⑩④Ibid., p. 395.

⑩⑤Rousseau, *Social Contract*, Bk. II, Chap. XI, p. 45. Cole's Tr.

⑩⑥Marx & Engel, *The German Ideology*, p. 103.

⑩⑦Rousseau, *Emile*; *Social Contract*. Also E. H. Wright's The Meaning of Rousseau.

⑩⑧Duguit, L., *Hutrue and the Stite*, p. 23. Cf. *Harvard Law Review*, Vol. XXXI,

No. I.

⑩⑨Marx, *A Critique of Political Economy*, pp. 265–266.

⑪⓪Ibid., p. 266.

⑪①Marx&Engel, *The German Ideology*, pp. 16–27.

⑪②Ibid., p. 16.

⑪③Lindsay, A. D., On Marx and Rousseau, Cf. Karl Marx's *Capital*, pp. 109–125.

⑪④Marx, Letter to Dr. Kugelmann, 11th. July, 1868.

⑪⑤Ibid.

⑪⑥Marx, *Capital*, I, pp. 15, 97, 257; III, pp. 1025, 1027. (Chicago)

⑪⑦Ibid., I, p. 257.

⑪⑧Ibid.

⑪⑨马克思引 Shakespeare, *Merchant of Venice* 中句。看 *Capital*, I, p. 523, Note. Paul's Tr.。

⑫⓪Marx, On Stirner, Cf. *Dokumento des Sozialismus*, III, pp. 262–265.

⑫①Marx, *Selected Essays*, p. 143.

⑫②Tawney, R. H., *The Acquisitive Society*, p. 43.

⑫③Marx, *Capital*, I, pp. 234–235. Paul's Tr.

⑫④Engels, *Anti-Dühring*, p. 109.

⑫⑤Marx, *Capital*, III, pp. 954–955.

⑫⑥Marx, *The Poverty of Philosophy*, p. 160. (M. L. Ed.)

⑫⑦Marx, *Marx-Engels Gesamtausgabe*, Abt. I, Bd. 5, p. 397.

附录一　吴恩裕与导师拉斯基临别对话

1939年年初，吴恩裕完成博士论文后，导师拉斯基专门找他做了长谈，恳切地说："由于您的学业与才能，如果您愿意留下来，可由我来推荐出版您的论文，给您介绍工作。现在欧洲不安宁，我在美国有不少学生，如果您愿意，我还可以介绍您去美国任职。"

当时的中国正处在抗日战争的烽火之中。日本侵略军攻占武汉和广州之后，大半个中国已经落入敌人手中，许多人看不到抗战的前途，亡国论四起；欧洲的新闻媒介更是把迁都后的重庆描绘成物质极端匮乏、秩序极度混乱的人间地狱，英国报纸甚至还刊登了大学教授与猪同居一室的照片。

就在这样一个国破家亡的时刻，吴恩裕毅然拒绝了他这位世界闻名的导师的挽留和唾手可得的金钱与地位，毫不犹豫地登上了回归的航程，义无反顾地返回了水深火热的祖国。

临别时，吴恩裕和拉斯基曾有过一段十分值得记录的对话：

拉斯基：吴，你认为延安共产党是真的在进行革命吗？

吴恩裕：是的，他们是真正在为人民谋幸福。

拉斯基：他们懂得马克思吗？

吴恩裕：我相信他们懂得。

拉斯基:但是没有看到他们的理论著作。

吴恩裕:他们实际实行的的确是马克思的理论,虽然我们这里不易看到他们的许多理论著作。他们现在又正忙于打击日本侵略者。

拉斯基:你认为他们的事业有希望吗?

吴恩裕:肯定有希望。中国的希望就在他们那里。

这段对话,或许能给吴恩裕教授其后的所作所为做一个注释。

附录二　回忆我的父亲吴恩裕教授

吴季松

我的父亲吴恩裕是北京大学教授，政治学、法学专家和《红楼梦》研究专家，他于 1979 年去世，至今已经整整 34 个年头了。

父亲生于清末的 1909 年，经历了张作霖在东北的军阀割据、张学良在东北易帜统归民国、抗日战争、解放战争和新中国成立后直至改革开放，70 年内几个翻天覆地的历史时代。

他在北京完成大学学业后，1936 年加入留学大潮，1939 年在伦敦政治经济学院获博士学位后婉拒名师的高薪聘留回到重庆，投入艰难困苦的抗日中国。抗战胜利后，1946 年他回到当时的北平定居，直至 1979 年去世。父亲的前半生是中国处在水深火热的年代；父亲的后半生是中国在新时代后不久又处于邓小平同志精确地概括为“政治混沌”的年代；“四人帮”粉碎，中华民族再次复兴不过一年多，他就去世了。他去世在工作桌前，心脏病突发，家中没有一个人，也没有电话，在没有得到任何救治的情况下猝然辞世。这不但是我们亲属终生的遗憾，也是国家的遗憾。

父亲终生只从事过两个职业：教师和编辑；还有业余的写作。但是，他却从来不是一个学究，他的书法、木工和厨艺都被行家称赞。他有很多学生，不少已对他做了感人至深的回忆，这也使他有不少文字留下来；所以，是非功过可由历史和人民来评价。我本人于2010年出版了一本书——《六十六年变迁》，记述我们伟大祖国从1909年到2008年整整100年的，尤其是后66年的变迁和这百年变迁中的人，特别是知识分子，当然也包括我的父亲。这一年我还出版了由已故季羡林先生题写书名的《我的父亲吴恩裕教授》的修订版。

尽管《中国近现代人名大辞典》、《中华当代文化名人大词典》和《中国当代名人录》等十多种名人录都介绍了我的父亲吴恩裕教授，在时过境迁的今天，却仍然还有海内外众多的同志和朋友真诚地回忆起他。他的许多先后在重要岗位上负责的朋友和学生们都说，30多年过去了，那个时代已经被许多人淡忘了，却总想起吴先生，该为他写些什么。父亲在美国的学生、已退休的美国宇航局著名高级工程师杨振寰先生说："祖国都变了，许多青少年时代的旧物都荡然无存了，只是对吴先生还记忆犹新。"他在法国的学生、已退休的法国国立图书馆高级研究员、左宗棠四世孙左景权先生说："50年过去，抹不掉对吴先生的记忆，这种记忆和对祖国及那个时代的记忆融成一体了。"

茅盾先生在《追念吴恩裕同志》（《红楼梦学刊》1980年第3期）一文中说："我和吴恩裕同志相识多年，可是他从没谈过他早年的那些冒着生命危险而自愿做的革命行动。可见他认为那些事都是一个爱国爱共产党的人应该做的事。""吴恩裕同志博览群书，对中国古典文学的研究和造诣都很深；他又精通外文，如此学贯中西的人才是不可多得的。而且终年70岁，正是思想意识和学术研究都到了圆满成熟的阶段，恰在此时逝世，格外令人惋惜。此不独我个人有此悲感，普天下凡读过吴恩裕同志著作的人们当有同样的感慨！"

更使我感动的是2000年我把登载在《北京文史资料》（第51辑）上的《回忆我的父亲吴恩裕教授》一文给时任上海市市长、原全国政协副主席、原中国工程院院长徐匡迪院士看过后，他说："我很佩服您父亲。"2004 年初识原中国政法大学校长江平教授时，他说："吴恩裕教授是我的恩师。"而他们并不知道，1977 年他以一贯的磊落和正义为中央平反右派所做的国际政治史（重大事件平反）调研工作的结论，表现出了不计个人得失和高风亮节。这是在当时还处在"文革"刚结束的恶劣工作条件下完成的，严重损害了自己的健康，他的学生说："吴先生最感人和令人崇敬之处，在于他既不是右派，又未参与反右，他是政治学大家，十分清楚对右派平反的态度和积极性在当时对自己个人的得失和政治前途的影响（中央领导已拟找他谈话），但他一如既往以自己的磊落，做出了敢于仗义执言的结论，以自己的健康和生命挽救了多少人的生命、政治生命和前途，做出了载入历史的贡献。"父亲在后来的一年多中三次心脏病发作，第三次终于夺去了他宝贵的生命。

我有幸到过 101 个国家，父亲的教学和著作的影响真是在美国、加拿大、英国、法国、德国、澳大利亚、瑞士、日本、泰国、印度和埃及等国都能见到，茅盾先生说"普天下"是实不为过的。父亲对当时国际社会主义运动的现实也是十分了解的。他曾多次对我说："研究马克思主义，我仔细考察了英国，一直筹划去当时'最像社会主义'的瑞典，因二次大战爆发而作罢，成为终生遗憾，你帮我完成这个心愿吧。"1985 年我在瑞典住了 10 个月，真正了解了他这句话的实际意义。

父亲在英国伦敦政治经济学院的博士论文《马克思的政治思想》完成于 1939 年春，被导师、英国政治学泰斗拉斯基教授称为："我所见到的最短的、最好的博士论文之一。"这篇论文现收在英国伦敦政治经济学院图书馆，1944 年由他本人译为中文，1945 年由商务印书馆出版。我于“文革”前毕业自清华大学，后来作为“文革”后首批出国访问学者一直从事自然科学工作，但我们那个时代的人还都了解在20世纪三四十年代那个视马克思主义为妖魔邪说的白色恐怖中，父亲和商务印书馆写作和出版这部公正介绍马克思主义著作的勇气。

由于父亲于1979年12月去世，而我于1979年作为改革开放后的第一批访问学者出国，但在1982年归国后就再也找不到《马克思的政治思想》这本书了。

2007年，在这本书出版的62年后，我去台湾讲学，幸识了政治大学公共行政系教授、两岸著名的《海峡评论》主编吴琼恩先生，他对我的父亲十分尊敬，专门到图书馆复印了可能在台湾也是仅有的原书，而且精装成册，到北京开会时带来给我。他对我说，这本书在今天看来仍有重大价值，最好能把它出版，应该让海峡两岸更多的人了解吴恩裕教授的杰出学术成就。海峡彼岸的吴琼恩教授尚且如此，我就更义不容辞，把60多年前在国民党统治区对马克思主义的学术研究展现给大家，或许对今天的科学研究有所裨益。

因此这也就促成了《马克思的政治思想》一书在2008年的重新出版（该书当时被纳入“商务印书馆文库”）。其实重新出版这部著作不仅因为对父亲的怀念，而且因为对那个时代的怀念；不仅因为父亲值得记述，更因为那个时代值得记述。它会告诉后来人，在那个时代，中国的知识分子中有这样一个人：他在大英图书馆对马克思主义做过长达三年的认真学术研究；他于1940年发表的文章中就使用了当时在世界上也不多见的“原生态”一词等。此次出版对于63年前的原文基本未动，只是把繁体字改为简体字，把竖排改为横排，把注释的序号由中文改为阿拉伯数字，将“马克斯”按现在的译法改译为“马克思”，其余如“孟德斯究”（现译为“孟德斯鸠”）等一仍如旧。

作为30年前在联合国教科文组织（UNESCO）工作时曾与世界“可持续发展”理念创意者同事的我，深感在父亲100周年诞辰前夕，重新出版这本书，对于让我们的国家以科学发展观为指导，尊重历史，解放思想，认真研究，不断创新，真正实现可持续发展很有意义。在此谨向为本书于2008年重新出版时做出巨大努力的原《人民日报》副总编谢宏同志和已故商务印书馆杨德炎总经理致以深切的谢意。

现蒙商务印书馆将这部20世纪上半叶的著作再次纳入“中华现代学术名著丛书”出版，可见它的学术价值，在此也向专家组和编辑人员致以深切的谢意。

今天，中国人民正在为百年来的中国梦而奋斗，中国梦就是思想之梦、科学之梦；正义之梦、民主之梦；富裕之梦、强盛之梦。这也是父亲毕生的追求。再版这本书，也圆了父亲的梦，并对今天有所贡献。

吴季松
全国优秀科技工作者
瑞典皇家工程科学院外籍院士
中国技术经济学会副理事长
北京航空航天大学中国循环经济研究中心主任
2014年2月10日

吴恩裕先生学术年表*

1909 年(宣统元年)

12 月 10 日,生于辽宁省西丰县。

1915 年

入读西丰县县立中学师范附属小学。

1922 年

入读沈阳第一工科专科学校。

1925 年

在天津南开中学实习班学习。

1927 年

7 月,入东北大学预科学习。

1928 年

2 月,入东北大学俄文系学习。

7 月,于东北大学俄文系肄业。

9 月,转入东北大学哲学系学习。

1930 年

2 月,于东北大学哲学系肄业。

9 月,入清华大学哲学系学习。

1933 年

7 月,于清华大学哲学系毕业。

---

* 本年表由吴季松编制。

8 月，于北平任《行健月刊》副主编。

是年，发表《唐代儒家与佛教的关系》一文，刊于《清华周刊》。

1934 年

先后发表《形式逻辑与辩证法》、《马克思的方法论》，刊于《行健月刊》。另发表《评罗素论辩证唯物论》，刊于《国闻周报》。

1935 年

2 月，任《北平晨报·思辨》主编。

10 月，于北平担任《文哲月刊》主编。

是年，其著作《马克思的哲学》一书由北平人文书店出版；其学士论文《魏晋南北朝人对孔子的看法》刊于《文哲月刊》。

1936 年

8 月，考取公费赴英国伦敦政治经济学院研究院留学，师从著名导师、英国工党理论家、民主社会主义思想主要代表人物拉斯基。

是年，发表《介绍马克思、恩格斯通信集》，刊于《北平晨报·思辨》。

1939 年

完成博士论文：The Evolution of Marx's Social and Politcal Ideas with Special Reference to the Period 1840–1848。

4 月，获政治学博士学位后启程回国。

12 月，于重庆任国民党中央政治学校研究员和法学教授。

1940 年

3 月，辞去中央政治学校教职。

并于该年首次使用“原生态”一词。

8 月，于重庆任中央大学政治系教授，为期三年。

1943 年

10 月，于重庆任中国文化服务社编审、总编审。

是年，发表《唯物史观的考证与解释》，刊于《中央大学社会科学季刊》；《新华日报》发表简评文章。

1944 年

6 月，于重庆任中央干部学校教授，为期两年。

是年，其著作《政治思想与逻辑》由重庆文化服务社出版；《民主政治的基础》由商务印书馆出版。

1945 年

其博士论文中译本《马克思的政治思想》由商务印书馆出版。

1946 年

8 月，任北京大学政治系教授，至 1952 年。

9 月，任北京师范大学兼职教授至次年 1 月；同时任清华大学政治系兼职教授，至次年 7 月。

1947 年

其著作《西洋政治思想史(上古中世编)》由上海文化服务社出版。

是年，文史随笔《负生偶记》于上海《观察》杂志上连载，至 1948 年。

1948 年

其著作《唯物史观精义》由上海观察社出版；《政治学问题研究》由商务印书馆出版。

是年，亦发表文章多篇：《法律、道德与大众需要》，刊于《观察》杂志；《论用和平方法不能实现社会主义》及《论社会主义必须实行计划经济》，刊于《新路》杂志。另《论马开维里的政治思想》一文被收入《北京大学五十周年纪念论文》中。

1951 年

1 月，任出版总署编译局特约编审，至 6 月。

1952 年

院系调整后，任北京政法学院教授，直至 1978 年。

1953 年

3 月，翻译恩格斯《共产主义原理》，刊于《新建设》杂志。

11 月，《列宁〈国家与革命〉注释》（原刊于《学习》杂志）由中国青年出版社出版。

是年，其著作《批判资产阶级国家学说》由上海平明出版社出版。

1954 年

与徐方合著《联共党史名词解释》由中国青年出版社出版。

是年，亦发表数篇文章：《曹雪芹的生平》连载于香港《大公报》；《关于曹雪芹》刊于《新观察》杂志；《永忠吊曹雪芹的三首诗》刊于《光明日报》"文学遗产"副刊。

1955 年

翻译恩格斯《共产主义在德国》以及《欧洲大陆社会改革运动的进展》，刊于《史学译丛》；翻译《马克思、恩格斯的通信九封》，刊于《新建设》杂志。另有译著《第一国际与巴黎公社》由上海四联出版社出版。

1957 年

5 月，发表《亚里士多德的雅典宪法与恩格斯的家庭私有制和国家起源》，刊于《人民日报》。

1958 年

《有关曹雪芹八种》由上海古典文学出版社出版。

1959 年

《有关曹雪芹八种》由中华书局出版。

1962 年

发表《凯尔森纯粹法学的实质》，刊于《人民日报》。

是年，译著《布尔什维的政治理论》由商务印书馆出版；著作

《曹雪芹的故事》由中华书局出版(该书于1978年3月年亦由香港中华书局出版);著作《有关曹雪芹十种》由中华书局出版。

1963年

发表《结合文字和传说来看曹雪芹》,刊于《图书馆》杂志。

1973年

发表《曹雪芹佚著和传记材料的发现》,刊于《文物》杂志当年第二期。

1974年

发表《〈红楼梦〉和〈废艺斋集稿〉残篇中的反儒近墨思想》,刊于《文物》杂志当年第五期。

1975年

《已卯本〈石头记〉新探》一文被收入南京师范学院编印的《红楼梦版本论丛》中。

1978年

4月,任中国社会科学院世界政治研究所研究员、负责人,北京大学政治系、法律系兼职教授,至次年12月。

是年,发表《西方近现代法学流派评介》,刊于《社会科学战线》杂志当年第二、三期;《论冯友兰、贺麟对编写哲学史的观点和方法》被收入科学出版社出版的关于哲学史的论文集中;另为商务印书馆所出版的"汉译世界学术名著丛书"之亚里士多德所著《雅典政制》、《政治学》,阿奎那所著《政治论著选》,洛克所著《政府论》等中文译本写作序文四篇。

1979年

12月12日因病于北京逝世,享年七十一岁。

附：吴恩裕先生逝世后，其著作《考稗小记——曹雪芹红楼梦琐记》由香港中华书局出版（1979年）；《曹雪芹佚著浅探》由天津人民出版社出版（1979年）；《曹雪芹丛考》由上海古籍出版社出版（1980年）；《曹雪芹生平组画》由人民美术出版社出版（1980年）；《西方政治思想史论集》由天津人民出版社出版（1981年）。另，其生前所撰文章《我对曹雪芹上舞台或银幕的看法》刊于《文汇报》（1979年12月26日）；《论废艺斋集稿的真伪——兼答陈毓罴、刘世德两同志（附日本早稻田大学松枝茂夫教授的来信谈访问高见嘉十教授的经过）》刊于《中华文史论丛》1979年第4期；《曹雪芹佚著、遗物的发现》刊于《人民画报》1979年第8期；《从一九五四年起到现在关于曹雪芹和〈红楼梦〉我做了些什么？》刊于《文教资料简报》；《曹雪芹传记故事》零篇刊于《长江文艺》、《十月》等杂志上。

一本值得细心研读的研究马克思主义的力作

——吴恩裕著《马克思的政治思想》的学术价值和现实意义

高放

本书是作者于1939年“三十而立”之年在伦敦大学政治经济学院就读三年之时完成的博士论文，1944年由他自己从英文译为中文，于1945年由商务印书馆出版；2008年曾经收入《商务印书馆文库》重新再版；现在又列为商务印书馆的《中华现代学术名著丛书》问世，足见其有重要的学术价值与现实意义。

一　1946—1947年我错失早先拜读本书的机遇

从我个人来说，1946年我在家乡福州英华中学毕业考入北京大学时，就见过1945年新出版的这本专著。当时给我们上政治学的是楼邦彦教授，他采用的是美国加纳教授英文版的政治学著作。我们感到太脱离中国实际，同学们自己找来邓初民著《新政治学大纲》来读。当时吴恩裕老师虽然没有给我们讲过课，但是在我们心目中，他是进步的民主教授，积极支持我们开展的反对国民党政府专制独裁、贪污腐败的学生民主运动。我们这个年级政治系的进步同学虽然都知道他刚出版不久的《马克思的政治思想》这本新书，但是又感到：第一，他所写的马克思的政治思想还是离现实较远，我们这批思想激进的民主派学生都在热心地拜读列宁、斯大林、毛泽东、刘少奇等人的论著；第二，更为重要的是，我们都知道他是英国工党理论家拉斯基的得意门生，而拉基斯当时在我们的心目中是“臭名昭著的反共的改良主义者”。我们担心在拉基斯指导下写成的这篇博士论文，恐怕会有歪曲马克思主义的误导，所以并没有到图书馆借读这本书。现在看来，这是错失了一次从中接受马克思主义启蒙教育的机遇。

历史发展的戏剧性变化，往往是人们难以准确预料到的。1948年年初，我急于离开北大，投奔晋冀鲁豫解放区参加革命，本想到前线当随军记者，却被华北大学选拔为研究生，1949年当学习助理员助教。自1950年中国人民大学创办伊始，我就在这里长期执教政治理论课。由于深受苏联模式社会主义的影响，我在课堂上曾经多次批判过包括拉斯基在内的西方民主社会主义思潮。1978年我国实行改革开放以来，我痛定思痛，深感很有必要重新研究评价民主社会主义。1981年，我被国务院学位委员会评定为我国第一批博士生导师，也是国际共产主义运动史专业的第一个博士生导师。我曾先后指导两位博士生分别撰写评论英国工党领袖麦克唐纳和拉斯基的社会主义思想的论文。这两篇论文均获得校内外十位评审专家的好评和答辩委员会的一致通过，并被认为是对麦克唐纳和拉斯基的社会主义做出了较为客观、公正的评价。可是在1989年政治风波后，国内思想理论界又刮起“左”的歪风。这时又有人跳出来指责我指导的研究生对拉斯基做了过高评价

(论文中认为拉斯基在第二次世界大战期间的思想已接近马克思主义),无中生有地硬说,“这显然是受他的导师资产阶级思想自由化的影响”。其实,博士研究生都有独立研究、独立思考能力,不会轻易被导师牵着鼻子走。我自信全无资产阶级自由化思想,多有无产阶级改革派思想,所以对于极“左”派对我乱扣政治帽子的整人言论只是一笑置之,心中鄙视这种跟风整人、抬高自己、图谋高升的人。

现在我读到吴恩裕教授的《马克思的政治思想》,更加尊敬拉斯基这位民主社会主义理论大师。他当年并没有用他的改良主义思想去指导中国留英博士生吴恩裕,而是同意他的中国博士生“既不取感情上的赞成态度,也不采取感情上的反对态度,只是对马克思的学说,做纯粹学术的研究”。通读全书,也可以看出书中全无歪曲马克思政治思想、宣扬拉斯基改良主义的痕迹。而拉斯基审读完这篇博士论文却认为:这是“我所见到的最短的、最好的博士论文之一”。甚至对吴恩裕说了这样一句令其感到“惭愧”和“感动”的满怀期待和厚望的心语:“我相信它(指这篇博士论文)将是对这个学科做出有价值增补的作品。”虽然我不同意拉斯基的基本理论观点,但是我敬重他这种尊重别人独立研究成果的学者风范。

拉斯基当年对吴恩裕的夸奖却给他后来带来麻烦,以至遭到不公正的待遇。我听知情者说,吴先生自 1939 年回国后,先后在中央大学和北京大学都是任职教授,1952 年大学院系调整,他被调到北京政法学院执教,1955 年全国评定教授时,他本来应该定为二级教授,可是由于领导上认为他是拉斯基的得意门生,深受改良主义思想影响,把他压低为四级教授。当时四级是教授的最低级、副教授的最高级,即所谓交叉级。这种不公平、不公正的评级,对吴先生是很大的打击。更有甚者,学校还剥夺了吴先生的教学权。1952年以后停开政治学,他改而开法学和国际政治。1955年以后干脆不让他给学生讲课,生怕他会给学生传授错误思想,于是他只好转行去研究《红楼梦》了。像吴先生这样富有独立研究能力的学者,在新领域也取得了专家公认的新成就。可是这对于政治科学的研究,却失去了一位能工巧匠的长期辛勤耕耘,这真是莫大的损失。由此可见,由于受"左"的思想影响,不仅我个人在1946—1947年早先错失了拜读吴先生著作的机遇,而且吴先生本人也错失了20多年继续深化政治学研究的大好时光。

好在1978年中共十一届三中全会端正了党的指导思想和基本路线,恢复了政治学研究。1952年我国大学院系调整时取消政治系和政治学课程,显然是直接受苏联模式影响。俄国诸多大学原来都有政治系和政治学课程,1917年十月革命胜利后不久都被取消了,政治学统归苏共中央政治局掌控,不需要学者独立研究。苏联实行的一党专政、以党代政、个人集权制、职务终身制、指定接班制、高干特权制等权力过度集中的政治体制,如果苏共能够及早借鉴社会党民主社会主义,重视党内民主,议会民主的某些经验,自觉进行体制改革,苏共和苏联完全有可能自我改革成功。正是由于苏联长期延误政治体制改革,以致后期转向"人道的民主的社会主义",造成政局大乱,这是苏联自取灭亡的主要原因。我国恢复政治学研究,正是吸取了苏联缺失的教训。1978年,吴先生从北京政法学院调到中国社会科学院新建立的政治学研究所任研究员,这本来是他重新在政治学领域大展宏图的新机遇,可惜他因长期受"左"的路线压抑和积劳成疾,于1979年12月12日突发心脏病过世。从此我们无法再读到他的新政治学论著,实在万分遗憾!

当今我们只能重读他于1945年出版的旧作《马克思的政治思想》，重新领会他早年研究马克思主义有价值的成果。

二 《马克思的政治思想》全书梗概和要点

吴恩裕的博士论文，题目原是《1840—1848年特定时期马克思的社会和政治思想的演变》。其实内容不仅限于研究早年马克思的思想，而且还涉及他的中年和晚年著作。这篇博士论文于1945年出版时改名为《马克思的政治思想》。全书共分六章，前三章都是写马克思的哲学思想。首先从马克思的辩证法入手破题，其次重点阐述马克思唯物论的特殊意义，最后集中诠释马克思唯物史观的精髓所在。作者厘清了辩证法与形而上学的区别、唯物论与唯心论的区别、唯物史观与唯心史观的区别，这样也就简要说明了马克思哲学思想的三个部分（辩证法、唯物论与唯物史观）的要点。作者之所以用三章、占全书一半的篇幅来论析马克思的哲学思想，我认为有两个原因。其一，作者是1928年19岁入东北大学哲学系学习，1930年入清华大学继续攻读哲学，大学时期他就下苦功研读了马克思的诸多论著，深究其哲学思想的演进。1935年2月他方26岁，就担任北平《晨报》哲学副刊《思辨》主编，10月又出任《文哲月刊》主编，同月出版了《马克思的哲学》（北平人文书店出版）。全书分六章，分别叙述马克思哲学思想的来源、马克思的辩证唯物论和方法论等。1936年8月他以此书为基础，完成学士论文，从清华大学哲学系毕业，当即考取了公费留学，到伦敦大学深造。可以说他就是以《马克思的哲学思想》为基础进而撰写博士论文，所以在博士论文中哲学占很大比重。其二，他刻意以马克思的哲学思想作为马克思政治思想坚实厚重的世界观的理论基础。马克思哲学思想的核心是唯物史观，唯物史观着重揭示了生产方式（书中使用“生产方法”）的变革是社会发展的决定性力量，如实反映了人类社会生产力与生产关系、经济基础与上层建筑互动的客观规律，突出指明了暴力革命（书中使用“强力革命”）和政权更迭是社会转型的必经之路。据此，书中把唯物史观与革命理论并列为马克思的两大科学创新。马克思的革命理论是从社会经济的发展来寻求革命的动因，是建立在唯物史观理论基础之上；而唯物史观又从革命理论的实现来取得新的实践验证和实际论证，而且又进一步发展了唯物史观。马克思的唯物史观与革命理论，两者都是为了提高无产阶级的阶级自觉，武装无产阶级、指引无产阶级去改造社会，实现无产阶级和全人类的解放。书中这样说：“这些共产主义者们，实践的唯物论者们，将以两种理论教给一般劳动者。此两种理论即唯物史观和革命理论。教给他们这种理论就等于使他们‘阶级自觉’。”（本书第85页）了解唯物史观“等于有‘知识的自信力’。这种知识的自信力，可帮助他们取得‘解放的地位’”（本书第86页）。“共产主义虽然是可能的，但无产阶级若不起来促其实现，也是不会成为事实的。唯物史观告诉无产阶级这个历史演变的必然过程。革命理论告诉他们：他们自己必须做‘接生婆’（midwife）的工作。此工作不过是一种‘诉诸强力’（force）。”（本书第88页）“这种强力乃是‘历史的发动机’，这种行动即是革命。”（本书第88页）。吴恩裕先生在1939年能够发表以上见解，可以说是对马克思的哲学思想和政治思想之间的密切联系，以及对马克思主义科学的社会功能，理解得很精确、很深刻。表述得很精练、很精彩。

本书第四章革命理论阐微,这是全书的重中之重。这一章在说明革命的经济根源之后,着重分析了马克思的阶级斗争观。内容包括马克思对阶级的看法、阶级斗争在马克思学说中的地位和阶级斗争的实际过程这样三个部分。

关于什么是阶级、阶级的定义和划分阶级的标准,众所周知,马克思在《资本论》第三卷最后一章曾经准备详细论述,然而没有完稿他就溘然长逝,恩格斯后来重新整理第三卷并没有另外添加以新的发挥,因此后人多是根据自己的理解对马克思的阶级观做出种种阐释。吴恩裕的导师拉斯基教授在《共产主义》一书中认为,马克思区分阶级"是以人们取得生活资料的方法为标准"。吴恩裕却敢于提出"用这标准并不能得到阶级的正确分类",因为教书的、卖花生的等取得生活资料的方法都不相同,照此标准划分阶级,岂不是有太多阶级了吗?这是职业的不同,而不是阶级的不同。由此他的结论是"所以,拉斯基这个看法是有毛病的"(本书第96页)。他敢在自己的博士论文中批评导师的见解,而导师依然充分肯定他的博士论文。师生之间这种独立思考、平等探讨、追求真理的务实态度、科学精神和民主作风,是非常难能可贵的。吴恩裕自己同意主要要以对生产手段(即生产资料)的占有情况作为划分阶级的标准,应该说这是符合马克思原意的。

关于阶级斗争在马克思学说中的地位,他不同意有人把阶级斗争视为马克思学说的基本观念。他指出:阶级与阶级斗争都是由生产方法(即生产方式)决定的,生产方式才是马克思学说中的最基本观念;将来消灭了阶级之后,社会主义社会就不再有阶级斗争,但是社会依然会有进化。只是他当时还未能进一步指出消灭了阶级之后社会主义社会的发展动力是什么。依我个人浅见,劳动者的创新劳动及其合作与竞争、竞赛将是社会主义社会发展的主要动力。

关于阶级斗争的实际过程,书中指出:工人阶级的联合抗争要求有共产党的领导,以“强力革命”(即暴力革命)推翻旧政权,经过无产阶级专政的过渡时期,消灭阶级,最后取代国家政权的是自由人联合体,实现“各尽所能,各取所需”,也就是实现共产主义。我认为,这些论述都是符合马克思政治思想原意的。

第五章,按照马克思原意批评了德国博学的社会科学家康德的伦理和政治学说。书中指出:康德所主张的用“善意”来规范人们的行为,实现“永久和平”,把人性抽象化,这是不切实际的空想;康德的自由主义反映了德国资产阶级的软弱性和落后性。在这一章中,作者还遵照马克思的思想批评了英国政治学家、经济学家边沁的功利主义。边沁认为,苦与乐这两种观念支配人们的一切行为,也包括政府的各种行为;所以人们经常要力争使个人的行为和政府的行为都能增进人们的功利、快乐,减少以至避免、消除人们的祸害和痛苦。马克思指出:边沁是用超阶级的观点来看待苦与乐,雇佣工人和资本家的苦与乐是很不一样的,而且实现避苦趋乐的能力也是各阶级和各个人都不相同的。边沁的功利主义只不过是代表具有“人剥削人”现象的资本主义社会中的实际功利关系而已。

第六章论道德与人性。从表面上看,这已经超出马克思的政治思想范围,实际上却与政治思想有密切关联。对道德问题,马克思的基本观点是阶级社会,尤其是在资本主义社会中,没有超阶级的道德,各阶级对于一般的道德观念与道德标准,各有不同的理解和内涵。书中以勤、俭、贪、善、恶、正当、不正当这些道德观念为例，说明资本家勤俭经营企业是为了更多地剥削工人创造的剩余价值，工人们勤俭持家是为了活命和可能持续地出卖劳动力。在资本主义的民主制度下，政治上的平等、自由被资产阶级视为最高贵的政治理想。可是当工人们处于经济上不平等、受剥削的条件下，这些政治上的平等和自由对于工人们来说都是虚假的道德说教。作者引用马克思的话，指出："真正的自由与真正的平等"即"共产主义"。可见，道德与政治、与阶级、与社会制度是有内在密切联系的。书中还揭示了资本主义社会中道德学说的另外一个特征，那就是给道德上不完美行为蒙上美德的外衣，这在西方资本主义社会称为"德行的伦理学"（ethics of virtues），书中表述为"德目的伦理学"（见第146—147页）。例如剥削工人的资本家又可以是慈善家和孝子。

在第六章中还谈到马克思对人性的看法。马克思批判了荷兰斯宾诺莎、法国卢梭、英国边沁和霍布斯及德国康德的人性观。简而言之，康德和卢梭主张性善论；霍布斯主张性恶论；边沁和斯宾诺莎主张人性无所谓善恶，人性是趋乐避苦，或者是"自求生存的冲动"。这些观点显示出片面性和表面性。马克思以其唯物史观来观察人性问题。书中引述了马克思的基本观点。第一，"一般的人性"的根本规律表现为人具有一种"保持和改进其物质生活形态的趋向"。我认为这一点是人性的共性，也可以说这具有普世价值。第二，人性是由人的物质生产和生活形态决定的，也就是要从人生存的社会经济背景中去求索人性。第三，人性不是一成不变的，而是随着社会生产方式和经济发展的变化而演进。第四，在阶级社会中，人性在不同阶级中往往表现出有不同的形态。资本家的“人性”必然是要剥削雇佣劳动者的剩余劳动,劳动者的“人性”必然是要反抗资本家。第五,人性本身根本与道德无关,性善论或性恶论都是从道德标准上做出判断,用道德上的善恶来判定人性是靠不住的,靠得住的是人性只是随着物质生存形态的变化而演进。由此可知,人性的变化与政治思想和政治制度也是息息相关的。人性趋向专制是植根于小农经济和自然经济的物质生存形态,人性趋向民主是由社会化大生产的工业经济和市场经济的物质生存形态决定的。资本家的“人性”是要通过民主实现资产阶级的政治统治,工人们的“人性”是要通过民主实现劳动人民当家做主治理国家。

综上所述,全书以马克思的革命理论为中心,较为系统地阐释了马克思的唯物史观哲学及唯物史观的道德论和人性论与其政治思想的内在联系。这样一本 1945 年出版的《马克思的政治思想》一书,在当今再版对于面向大众进行马克思主义的启蒙教育,对于马克思主义的大众化,我认为还是颇有现实意义的。

三 本书的欠缺

由于本书是作者 1939 年青年时期初出茅庐的作品,不免受当时时代和时间的限制。当今看来当然会有不少局限和欠缺。这里仅举出以下三点为例。第一,本书第二章第三节写到马克思哲学的应用范围及“唯物论”一词的特殊意义时,作者认为:“马克思的哲学不是,并且在某种意义上,也不能是,一种无机及有机的自然界的哲学。”(第 47 页)即是说马克思哲学的应用范围只限于人类社会历史，马克思哲学唯物论的“物”仅指“物质生产方法”（即生产方式），而不包括自然界的无机物和有机物。这个见解我以为是有偏颇的。其原因在于作者当时没有读到马克思的《1844 年经济学哲学手稿》。马克思的这本早期著作于 1927 年才由苏联出版的《马克思恩格斯文库》俄文版第三卷附录中摘译了一部分，1932 年出版的《马克思恩格斯全集》历史考证版第一部分第三卷才刊出全文。中译本最早由何思敬译，人民出版社 1956 年出版，随后该社于 1979 年又出版刘正坤中译文。中共中央编译局的最新译文收入该社 2009 年出版的《马克思恩格斯文集》第一卷。马克思在这本早期著作中发表了很多辩证唯物论关于自然界与社会统一的见解。例如他指出：“社会是人和自然界的完成了的本质的统一，是自然界的真正复活，是人的实现了的自然主义和自然界的实现了的人道主义。”①这句话把辩证唯物论世界观关于自然、人类、社会三者统一于物质世界而且相互渗透、融为一体，说得多么深刻，多么精彩！可见不能把马克思的唯物论哲学只限于解释人类社会历史，而把自然界排除在外。唯物史观不仅是人类社会史观，而且也是自然界发展史观，更是自然界、人类、社会统一于物质世界的科学历史观、科学世界观。所以，人类一定要与自然界、与社会和谐共处，共同繁荣。

第二，马克思的政治思想不仅限于革命理论，而且还应该包括他的国家理论和政党理论。马克思主张建立以科学世界观为指导的、由无产阶级先进分子组成的共产主义政党，党内既有充分民主，又有严格纪律，由党制定出合乎实际的纲领、战略、策略和政

① 《马克思恩格斯文集》第 1 卷，人民出版社 2009 年版，第 187 页。

策，密切联系、依靠、发动、组织工农和人民大众，开展各种形式的阶级斗争，适时夺取国家政权，推翻资产阶级反动政治统治，打碎旧的军事官僚国家机器，建立工人阶级新型民主国家。共产党要善于依法领导人民，民主选举产生国家领导人，使官员成为社会公仆。依据1871年第一个工人阶级政权巴黎公社的实践经验，政府最高领导人的工资要与熟练工人相当，与最低工资差距不超过五倍。共产党要善于联合其他工人政党和小资产阶级政党，共同协和治理国家与社会。社会主义社会全面建成之后，国家政权和政党逐步消亡，全社会实现"自由人联合体"高度自治。我认为，只有添加进马克思国家理论和政党理论的这些要点，才算是较全面地反映了马克思政治思想的全貌。

第三，马克思的革命理论并非是一直主张暴力革命。从19世纪70年代起，在较发达资本主义国家，随着议会民主制和普选制的发展，马克思多次讲到在发达国家有可能通过议会民主与普选，较为和平地掌握政权，通往社会主义。1871年7月3日马克思在同《世界报》记者谈话中曾经明确表示："凡是利用和平宣传能更快更可靠地达到这一目的（指夺取政权——引者注）的地方，举行起义就是不明智的。"①两个多月后，即9月25日，他在《纪念国际七周年》一文中更明确地指出："英国是唯一的这样一个国家：它的工人阶级的发展程度和组织程度，是能使这个阶级利用普选权来真正地为本身谋利益。"②再过一年，即1872年9月8日，他在《关于海牙代表大会》的讲演中更加具体地讲到三个国家有可能和平过

① 《马克思恩格斯全集》第17卷，人民出版社1965年版，第683页。
② 《马克思恩格斯选集》第2卷，人民出版社1972年版，第443页。

渡到社会主义。他这样说:"我们知道必须考虑到各国的制度、风俗和传统,我们也不否认,有些国家,像美国、英国——如果我对你们的制度有更好的了解,也许还可以加上荷兰——工人可能用和平手段达到自己的目的。"①可见马克思的政治思想是与时俱进,适时更新,并非故步自封,墨守成规,把暴力革命视为唯一的革命手段。

本书虽然尚有以上这些欠缺,但是月圆未满,瑕不掩瑜,我们要善学先贤,不苛求前人。总而言之,这一本研究马克思主义的力作还是值得我们细心研读的。

(高放,中国人民大学荣誉一级教授,博士生导师)

① 《马克思恩格斯全集》第18卷,人民出版社1964年版,第179页。

生产方式、实践与思想观念

——吴恩裕对马克思政治思想的研究

唐士其

吴恩裕先生是中国最早的西方政治思想史研究者之一。他曾在英国伦敦经济政治学院著名政治思想家拉斯基指导下学习，学成回国后先后任职于中央大学政治学系（重庆）、北京大学政治学系、北京政法学院、中国社会科学院、北京大学法律系和国际政治系等单位。虽然新中国建立后由于种种原因，吴恩裕把相当部分的精力投入到对曹雪芹的研究中，但用他自己的话来说，他也始终没有停止过对西方政治思想的研究和思考。"文革"结束后，重获专业工作机遇的吴恩裕又得以全力推进西方政治思想史的教学研究工作，并出版了《西方政治思想史论集》等著作。

《马克思的政治思想》一书，是吴恩裕在伦敦经济政治学院提交的博士论文的中文版，译者就是他自己，于1945年由商务印书馆出版，并曾于2008年由商务印书馆重排再版。

对这部篇幅并不大的著作，吴恩裕自己的评价非常谦虚，只是说："其中驳罗素（B. Russell）的历史发展'智慧动力论'、驳他对于科学发明与生产力的关系的歪曲、驳胡克（S. Hook）把实在（reality）和真理（truth）混淆起来的论据，以及我对马克思批判边沁（Bentham）和康德（Kant）的阐释等等，也还不无回顾一下的价值（其中有些内容下文会重点介绍——引者)。”[①]但是,仔细研读这部著作,却会发现拉斯基对它的充分肯定并不仅仅是一个外国留学生得到的客套和恭维,因为这的确是一部非常有见地、能够给人启发、引人思考的学术著作。

新中国建立以后,普通中国知识分子了解的马克思的思想,就是标准版本的“三个来源和三个组成部分”。“三个来源和三个组成部分”的说法来自列宁,[②]并被苏联的马克思主义教科书采用,然后又在中国广为传播。当然,这样总结马克思的思想并没有什么问题,但如果仅仅看到这两个“三个”,则有可能限制人们对马克思思想的深度和广度的把握,甚至会导致某些误解。吴恩裕对马克思思想的研究是在英国展开的,他独立阅读了马克思的大量原著(英文参照德文),参考了当时主要的马克思思想研究者的成果,注重马克思与整个西方思想传统的联系及其对这个传统的批判,而且从参考文献上看,他并没有受到苏联教科书的影响(用他自己的话说,就是“在黑暗中的摸索”[③]),这就使他对马克思思想的理解自成体系,并且能够发现马克思思想中一些受苏联影响的学者往往忽视了的内容。

吴恩裕自己说,他的这部著作“分析马克思所有关于方法、哲学、历史、经济、政治、伦理各方面的理论”。他还提到,拉斯基甚至因为担心“大学里的哲学家们”可能会怀疑一篇内容如此广泛的论文是否有深度,而把论文题目改为《1840—1848 年特定时期马克思

① 吴恩裕:《西方政治思想史论集》,天津人民出版社 1981 年版,第 1 页。

② 参见列宁:《马克思主义的三个来源和三个组成部分》,《列宁选集》第二卷,人民出版社 2012 年版,第 309—314 页。

③ 吴恩裕:《西方政治思想史论集》,天津人民出版社 1981 年版,第 1 页。

的社会和政治思想的演变》。但这部著作的确不是对马克思思想的一个简单的罗列和介绍，也不仅仅是一种与苏联教科书不同的对马克思思想的理解。使这部著作超越一般的介绍和传播马克思思想的文献，并且时至今日仍然富有思想魅力的，是它抓住了马克思思想中两个至关重要的概念，即“实践”与“生产方法”（即通常所说的“生产方式”），并把它们作为整部著作的灵魂，据以对马克思思想进行总结和分析，对书中提及的各种思想和思潮加以判断。吴恩裕这样一种对马克思思想的把握，使整个著作的内容浑然一体，同时也充分显现了他自己深厚的学术功力和敏锐的思想洞察力。

先谈一谈吴恩裕对马克思生产方式理论的总结与认识。我们通常了解的是，在历史唯物论中，生产方式包括生产力与生产关系两个部分。那么到底是生产力还是生产方式决定了历史的发展变化？这个问题一直在马克思主义者和马克思思想的研究者中存在争论。吴恩裕的观点是：“决定人类历史发展的动因，在马克思看来，只有当作人类自己活动理解的物质生活中活的生产方法。”（本书第 67 页）这大概是《马克思的政治思想》一书中最重要的一句话，是对马克思思想的一个非常精辟的概括。它结合了实践与生产方式这两个基本概念，并且对两者的关系进行了一种历史唯物主义的表述。

吴恩裕认为，生产方法而非生产力才是“唯物史观中之所谓‘物’”（本书第 59 页）。为证明这一点，他对马克思的文本进行了细密的研究，提出了以下三个方面的证明：(1) 马克思区别了一般而言的劳动力和“在运动中的劳动力”，并且认为“劳动力只有在运动中，才会变成实在”，即只有在具体的劳动中才能创造价值。(2) 生产工具与对生产工具的使用不同：“一个从未从事劳动目的的机器，是无用的。”(3)原料也只有通过劳动才能从“死睡的状态中惊醒”。因此吴恩裕强调，在马克思看来，不是这三种因素本身，而是它们在实践即物质生产过程中的结合，才组成生产方式，“才会有效”。(参见本书第60—61页)①在这一理解的基础之上，吴恩裕指出：“马克思认为生产方法，而非生产诸力(即生产力——引者注)，是决定人类社会发展的动因”。也就是说，“决定人类历史的动因，只是人类自己的活动”，是人们运用生产力的方式，而不是生产力本身。(参见本书第63页)他特别强调：“不能说整个生产方法的性质，受生产诸力所决定。”(本书第65页)原因有二：一是生产力是否投入使用以及如何使用，在根本上影响了生产方式的性质；二是分配方式的不同，即生产力结合方式的不同或者说生产关系的不同也决定了生产方式的不同。(本书第65—66页)吴恩裕正是据此驳斥了罗素对马克思的诘难。罗素认为：“事实上，生产方法的变化，主要地是因为知识的原因，那即是说，因为科学上的发现和发明。”吴恩裕指出，实际上马克思已经明确提到“在近代工业中，已完成了把科学当作一种生产力的工作”，由此证明罗素对马克思的理解的简单与粗糙；但罗素更根本的错误，还是他“认为科学发现和发明能改变生产方法的见解，依照马克思的理论，是讲不通的”(本书第66页)。

中国人从中学开始就熟记的一套说法是：唯物史观认为，生产力决定生产关系，生产关系决定上层建筑，因而生产力是社会矛盾中最活跃、最革命的因素。怎么看待这两种不同的理解呢？首先

① 这里需要说明的是，我们通常所谓的生产关系，就是劳动力、生产工具、生产对象这三种因素在不同社会发展阶段相互结合的形式。但是，由于马克思本人没有大量使用“生产关系”这一说法，所以吴恩裕在本书中也没有提及这个概念。

要知道的是,上述我们熟知的对历史唯物论的概括来自斯大林而非马克思。斯大林的原话是:“生产的变化和发展始终是从生产力的变化和发展,首先是从生产工具的变化和发展开始的。所以生产力是生产中最活跃、最革命的因素。首先是社会生产的变化和发展,然后,人们的生产关系、人们的经济关系依赖这些变化,与这些变化相适应地发生变化。生产力怎样,生产关系就必须怎样。”① 这恐怕是一种对马克思思想太过简单化的理解。其次,吴恩裕并没有否认生产力的革命性,但他强调生产力必须与生产关系,即人们运用生产力的方式以及分配方式相结合,才会成为推动历史发展的力量。换言之,就是“生产诸力”或者说生产力各要素的结合方式即生产关系(其实也包括上层建筑)具有其独立性,生产力与生产方式两者结合起来,才能解释人类社会的进步和发展。应该说,这是一种对历史唯物论更为确切和全面的理解,否则我们就不能解释社会革命的必要性,甚至也无法解释今天我们不断推进的改革的必要性。正如吴恩裕所言:“共产主义虽然是可能的,但无产阶级若不起来促其实现,也是不会成为事实的。”(本书第 88 页)英国历史学家汤因比曾经对人类历史上的 26 个文明进行比较研究,而其中的 16 个已经消亡。如果生产力怎样,生产关系就怎样,那么文明怎么会灭亡呢?是它们的技术退步了吗?在技术发展已经从各方面挑战人类文明的前景时,吴恩裕上述对唯物史观的认识恐怕不无积极的价值。

《马克思的政治思想》另一个主要的特点,是对马克思思想中

① 斯大林:《论辩证唯物主义和历史唯物主义》,《斯大林选集》下卷,人民出版社 1979 年版,第 444—445 页。

关于“实践”的理论进行了透彻的把握。事实上，吴恩裕坚持认为生产方式而非生产力才是历史发展的动因，正是他高度重视社会实践即人的社会活动的自然结果。把实践带入历史唯物论，又从历史唯物论的高度认识社会实践，使吴恩裕对马克思思想获得了一种融会贯通的理解。

在马克思主义看来，物质资料的生产是人类实践活动中最重要的部分，吴恩裕正是据此批驳了康德和边沁的理论。他非常敏锐地抓住了马克思的一句话：“一个在英国人中只是由单纯观察事实而来的学说，在法国人就变成了一个哲学系统了。”（本书第123页）正是这句话，使马克思对近代欧洲各国思想家的批判有了一个一以贯之的逻辑，即英国人（比如边沁）对功利的单纯观察被法国人上升为一套普遍的理论，但问题是“直觉主义（这里包括法德两国的理性主义——引者）根本忽视了人性（基本的经济事实与经济要求——引者），功利主义虽然多少了解人性，却没有深刻的认识”（本书第137页）。在边沁的问题上，吴恩裕一方面引用马克思肯定边沁功利主义原则的话：“不错，功利主义学说发挥了所有存在着的关系都与经济联系的概念”，或者说它能够“用物质的需要及满足此诸需要的方法来说明社会关系”（本书第127页），以肯定其积极意义；但另一方面，他又引用马克思的话表明功利主义理论的缺陷：“若想知道什么东西对于狗是有用的，我们必须先知道狗的性质（dog nature）。这种性质不是由功利原则中所可获得的。把同样的研究应用于人类，则若想依照功利原则对于所有的人类活动、运动、关系等加以判断的人，必须先熟知：一般的人性（human nature in general）；然后还须熟知：表现人性的方式在每个历史时期中的变化。”“但边沁对此，却是没有成绩的。他用他那干燥的、单纯的方法，把近代的小资产阶级，特别是近代英国的小资产阶级，假定为标准人（normal man）。对这种可疑的标准人及其所存在的世界，似乎是有用的东西，便是绝对有用的了。”（本书第127页）

可以看到，马克思对边沁的分析非常深刻，而吴恩裕对马克思的引用也十分精到，这表明他对马克思思想的准确把握。以上马克思的观点表明：首先，边沁抓住了经济生活在人类一切关系中的核心地位，这是他的贡献所在；其次，边沁忽视了人与其它动物的区别，即人的社会生活及其带来的所有人与其它动物更进一步的区别，因此，即便对其它动物来说存在着某种一般的猫性或者狗性，但对人来说，却不能只看到一般的人性，而必须看到这种人性在具体社会生活中的体现；最后，由于边沁在第二个方面的错误，所以把他的时代英国小资产阶级的特性理解为标准的人性了。用吴恩裕的总结来说，就是：边沁“不懂‘享乐的哲学’和‘实际的快乐’间的区别；也不知‘功利’和受社会经济条件限制的‘实际的功利关系’的区别了。也即是说：边沁不知道‘快乐的经验’与‘阶级’的关系；不知道：人们享乐的形式与内容是永远受他的阶级地位限制的”（本书第129页）。在该书的最后部分，吴恩裕又引用马克思的话指出：“凡是自然法则，皆不能取消。”“在变换的历史环境中，可以变化的东西，只是这些法则表现的方式。”但他又马上补充说：“后一句话，非常重要。”（本书第157页）他进而解释说：“假如‘人性’一词在一伦理或政治学说中，表示一点意义，则马克思认为：第一，它表示人类一般保持及改进其物质存在的趋向；第二，它表示此种趋向在各历史时期所表现的特别方式。我们对于第二点，应特别注意。因为对第二点的研究，马克思才发现阶级的关系对于人性的影响。”（本书第159页）需要特别指出的是，吴恩裕上述对马克思思想的把握,反映了他对马克思道德理论的一般的理解,他所总结的马克思对其他近代思想家的批评,全都体现了这种理解。

但吴恩裕还从更广泛的意义上理解马克思思想中实践理论的重要地位,这涉及马克思的方法论、马克思对形而上学的批判,以及马克思主义思想的革命性质。在方法论问题上,吴恩裕认为,马克思主要运用了以下三个方面的工具:使用"抽象能力"对事实进行分析,"面对事实"及"比较事实",以及"推求社会上层结构之历史经济动机的方法"(本书第 7 页)。需要注意的是,吴恩裕看到,马克思对事实的观察与研究并不是对事实的静观,而是对事实的积极参与,是实践。他在总结马克思对过往唯物论的批评时,就引述了马克思的这么一个基本观点,即自古迄今的唯物论的主要缺点,在于不能认识"客观东西"、"实在"、"感觉性"乃是"人类感官的活动",亦即实践。并且吴恩裕特别强调:"马克思这句话非常重要。"(本书第 39 页)在分析马克思对形而上学的批判以及这两种思想的根本区别时,吴恩裕再次指出:马克思注重的不仅是对事实的观察与分析,而在于通过实践与事物发生联系,在于"了解社会并且有意地促进社会转型的必然性"(本书第 46 页)。因此在他看来,马克思思想这种"反形上学的哲学系统"(本书第 35 页)与传统形而上学的根本区别,就在于实践乃是前者的一个内在的组成部分。

正是从实践在马克思思想中的核心地位出发,吴恩裕完全同意马克思对哲学提出的要求,即"当代哲学如欲变成真理,除与政治联合以外,别无他途"。他也完全同意马克思对自己的学说的实践性质的判断:"实践的唯物论者,亦即共产主义者,问题乃是变革现存的世界,并积极攻击既存的环境而改变之。"(本书第 41 页)这意味着马克思主义不仅是用以指导实践的理论,它本身就是一种实践。或者说,它的真理性,它的价值,只有在实践中才能真正体现出来。在此,通常意义上的主观与客观的区别与对立已经失去意义。"马克思的哲学既为一历史观,又为一革命论。"(本书第49页)这种对马克思主义实践性的把握,与上述他对马克思的生产方式理论的把握有异曲同工之妙,或者说后者乃是前者的具体体现。

还有一个问题需要提及。吴恩裕在对马克思的"唯物论"一词进行辨析时提出了一个非常重要的看法,即马克思在研究人类社会发展的时候,只是把"物质"、"唯物论"这些名词当作某种"符号","用以代表社会发展的动因。这些名词在马克思的学说中并不代表单纯、纯粹的概念;其理由很简单:就是因为它们在马克思学说中所代表的实际物事,并不是单纯的和纯粹的。"(本书第51页)也就是说,虽然马克思运用了传统哲学中的一些概念,但他已经赋予这些概念以新的意义。这种新意义,是由马克思思想的"反形上学"性质所决定的,"因为所谓'纯粹唯物的'及'一元的'等名词,都是批评形上学的标准,并不是批评社会学说的标准。"(本书第51页)从这种理解出发可知,"马克思的社会学说中之生产方法一概念,则必须符合相关事实。换言之,即实际存在于社会中的生产方法既然是个复杂的活动的整体,则马克思自然不应该勉强把它界定为一元的或纯粹唯物的。"(本书第52页)因此,吴恩裕既强调马克思思想的实践性,也强调其具体性和开放性。就是说,在他看来,马克思反对的是对事物简单抽象的、玄思冥想式的把握(可以参见他在第二章"反玄学的论证"中的相关论述),而马克思思想的开放性和具体性,则来自于实践本身的开放和具体。吴恩裕这种对马克思思想的理解,足以让那些不断尝试把马克思的思想绝对化、“一元化”的人们警醒。虽然他在这个问题上的论证显然受到历史上唯名论的影响，也带上了某些与他同时代的逻辑实证主义痕迹，但其思想价值还是不容否认的。

《马克思的政治思想》还有一些其他方面的独到贡献，比如书中比较研究了马克思与斯宾诺莎、霍布斯、卢梭、康德和边沁等思想家的思想，并总结了马克思对这些思想家的评价，这在其他介绍马克思的书中是不常见的。另外，虽然吴恩裕自己表示：他在这一著作中“既不取感情上的赞成态度，也不取感情上的反对态度”，“只是对马克思的学说，做纯粹学术的研究”（本书第 1 页），然而通过他从马克思主义的角度对其他相关理论的分析评价，以及对来自某些反对理论的诘难的反驳，客观上却非常巧妙地证明了马克思思想与它们相比的优越性。这一点，却是许多声称站在马克思主义立场上的作品所无法做到的。

当然，《马克思的政治思想》也存在一些不足之处。一方面是由于作者受到当时逻辑实证主义的影响，有些地方的论证从概念到概念，甚至认为马克思主义与逻辑实证主义有不少相似之处（参见本书第 54 页注 35）；另一方面是作者虽然以其思想的敏锐和视野的开阔，提出了对马克思思想一些非常有价值的理解，但深入细密方面尚有所欠缺。但不管怎么说，我们还是能够在阅读这部著作的时候感受到吴恩裕先生的睿智与洞见，甚至是他的一些“先见之明”，比如他对辩证法是否适合于自然界的问题的辨析（参见本书第 47—48 页）等，似乎已经预见到后来人们对马克思思想可能产生的各种争论。

（唐士其，法学博士，现任北京大学国际关系学院教授）

检